人生100年時代BOOKS

# 五〇歳からの勉強法

和田秀樹



Discover

# はじめに

わたしが世に出たのは、一九八七年、二七歳のときに書いた『受験は要領』（ごま書房）がベストセラーになったことによる。その一三年後の二〇〇〇年に、ＰＨＰ研究所から、『大人のための勉強法』を上梓した。

ちょうど『受験は要領』で大学受験をした人たちが三〇歳を迎えるころになり、社会人として仕事で成功していくための、大学受験とは異なる勉強法についてわたし自身の体験を踏まえて書いたものだ。文字どおり、大人に向けた勉強法の本の先駆けだったこともあり、こちらも大ベストセラーとなった。

それから約二〇年、そのとき三〇代だった読者も、はや五〇代。わたし自身、六〇代となった。そこで、少しばかり先輩のわたしから、五〇代を迎えた「同世代」に向けてしたためたのが、本書である。

『大人のための勉強法』との最大の違いは、資格試験対策などインプット型の勉強法、勉強時間のつくり方の本ではない、ということだ。五〇歳ともなれば、これまで培ってきたものをいかにアウトプットしながら、さらにブラッシュアップしていくかが重要だ。

また、実は、二〇一二年には、**知識ではなく思想が問われる**年代でもある。

『定年後の勉強法』（ちくま新書）を上梓したので、本書は、定年後に向けて、いまからできることを述べたものであるともいえる。詳しくは後述するが、たとえば、定年後の起業ひとつとってみても、それを成功させている人は、五〇歳になったころから、なにがしかの準備を始めていることが多いのだ。

五〇歳というのは、会社員の場合、いまの仕事でまだまだ力を発揮していくべきときであることも多い。一方で、男性ホルモンの低下など、生理的にはさまざまな老化の兆しが出てくる年代だ。モティベーションの維持が生理的にも難しい時期だといえる。すでに、それなりの成果を得ているなかで何をいまさらと、勉強が続かないのだ。

実はこれ、ひたすら前頭葉の老化による現象なのだが、では、どうすればいいのか？

このように、勉強の障害となるものを取り除いていく方法についてもお話しする。

## 五〇歳を過ぎてから、世に出ることは珍しくない

実際、五〇歳になったころから、力を発揮し出す人は少なくない。

わたし自身、五〇歳になったころからまた本が売れ出した。近年出した『感情的にならない本』(新講社ワイド新書)は、久しぶりのベストセラーとなったが、五六歳のときに書いたものだからこそ、読んでもらえているのかな、と思う。『バカの壁』の養老孟司先生や『女性の品格』の坂東眞理子先生、ともに、ご著書はミリオンセラーだが、お二人揃っておっしゃるのは、「六〇歳になると、ミリオンになるんだよね」ということ。自己啓発的な本の場合、ある年代の著者のものでないと、読者は信頼してくれないのかもしれない。

いろいろなところで書いているが、わたしは高校時代から、大の映画少年で、夢は

映画監督になることだった。東大の理三に入ったのも、いちばん偏差値の高い学部に行けば、人は自分の言うことを聞いてくれるかもしれない、その希少価値から映画を撮らせてくれるチャンスがめぐってくるかもしれない、少なくとも映画作りの資金は稼ぎやすいだろうという不埒なことを考えたからだともいえる。

世の中、そんなに甘いものではなかったが、とうとう四七歳のときに、はじめてメガフォンをとることができた。以前、NHKのBSプレミアで連続ドラマになって放映されていた『受験のシンデレラ』がそうだ。

そして、その後五二歳のときには二本目、次いで三本目を撮り、二本目はモナコ国際映画祭で、一本目(グランプリ受賞)に引き続き、四冠を戴くことができた。そして、今年からは監督協会の理事も仰せつかっている。五〇代から始めても、捨てたものではないと感じているが、いかがだろう?

わたしが続けている勉強

医者としての仕事のほうでは、三一歳から三四歳まで、当時アメリカで最高とランク付けされていたカンザス州の精神病院に留学して、精神分析を勉強してきたわけだが、その後、現在にいたるまで、三ヵ月に一度、そこに講演に来ていたロス在住の先生のところに通って勉強を続けている。

また、二〇〇〇年、三〇代の終わりのころからは、森田療法の勉強も始めた。もともとは、勉強会の講師に呼んでもらったことがきっかけだったのだが、面白そうだと思ったから、以来、毎月一度、森田療法のセミナーに通って勉強を続けている。

それから、アンチエイジングのクリニックの勉強を始めたのが四八歳ぐらいのとき。その際は、世界抗加齢医学会副会長で、故ダイアナ妃など世界中のセレブの老化予防の主治医であったクロード・ショーシャー先生に弟子入りもした。アンチエイジングのためのサプリの開発もやっている。

近年は、アドラーの勉強もしている。アドラーが森田療法の森田先生と考え方が似ている、ということもある。アドラーには、日本では岸見一郎さんはじめ、多くの優れた研究者がいらっしゃるが、通常とは違った解釈ができたらと思っている。

二〇一一年からは、東日本大震災被災者の方々の心のケアのボランティアを続けているが、そうした場でも、これらの勉強の成果が生きていると思う。

そして、いま、考えているのは、幼児教育ビジネス。女医など働く女性を支援する、中学受験や大学受験の基礎学力をつけるタイプの幼児教育なのだが、教育熱心な母親が安心して働けるようなタイプの保育所になるはずだ。

## 実は、人生でいちばん自由な「思秋期」

どうしてこんなにいろいろとやっているのかというと、勉強好きというのもあるが、やはり収入を増やしたいからだ。まだまだ映画も撮りたいし、珍しいワインももっともっと買いたい。そのために、いまから起業も考えているわけだ。

起業というと、その歳になって、という人もいるかもしれないが、実は、起業は五〇歳以上にこそ向いているのではないだろうか。たいていは、子どもも独り立ちしているから、万一、失敗したとしても、子どもに負担をかけなくてすむ。五〇歳というのは、いろいろな意味で、その実、自由な年代なのである。

実際、「昭和二九年の会」というのがあるそうだが、その年に生まれた片岡鶴太郎、松任谷由実、石田純一、林真理子さんなどを見ていると、それぞれの生き方の方向に共感するかどうかは別として、みなさん、本当にアクティブに生きておられると思う。

特に男性は、定年後、それまでの仕事関係の人脈を離れると、一気に交友関係が縮小してしまうようだが、五〇、六〇になっても、新しい交友関係を築いていくことは可能だ。

わたしは、一〇年以上前、エンジン01文化戦略会議という、林真理子さんが幹事長を務める文化人のボランティア活動集団のようなものに属して、副幹事長まで仰せつかっているが、そのおかげで、この一〇年間で新しい知己がずいぶん増えた。


そしていま、わたしは、「思秋期」という言葉を流行らせようとしている。この言葉を使った本もいくつか出した。子どもから大人になる時期が「思春期」だとしたら、大人から老人になる時期が「思秋期」。中性から男女に分かれるのが思春期で、男性・女性からまた中性に戻るのが思秋期ともいえる。

これから、どんな歳のとり方をするのか、どのようにして、もうひと花咲かせるか、どのようにソフトランディングしていくのか……四〇代から六〇代の、思秋期の過ごし方は、思春期と同じくらい重要だと思う。

## 知的能力は、やり方と考え方次第

さて、わたしの事実上の出世作となった『受験は要領』を書いたきっかけは、どうひいき目に見ても、理三に入れるような頭はしていないはずの自分が合格したのは勉強法がよかったからだ、と思い至ったからだ。とにかく過去問を解くことから始めるという方法だった。ところが、自分もその方法によって大学受験に成功したにもかかわらず、医師国家試験対策では、うっかり基礎知識を最初から勉強することから始めようとして、大切な六年生の夏休みをフイにしてしまった。

というのも、医学部入学以来、実習以外の講義にはほとんど出ないで映画の自主製作や資金稼ぎのアルバイトにのめり込んでいたため、あまりに基礎知識がない。いきなり過去問をやっても自信を失うだけだと思ってしまったわけだ。

もちろん、それは、できない生徒に共通する間違った考え方で、基礎知識ゼロに近い状態でもとにかく過去問にあたってみるのがいい。問題に沿って答えを調べるうちに、知識が体系的に整理され、頭の中に入っていくからだ。二〇〇〇ページの教科書を無駄に読了してもさっぱり国家試験の問題が解けないことを思い知ったあと、そういう勉強をしている仲間に入れてもらい、どうにかこうにか医師国家試験はクリアした。

とにかく、重要なのは、やり方。勉強法である。

勉強ができない生徒というのは、一般に思われているような怠け者というより、殊勝で真面目な生徒である場合が多い。殊勝で真面目な発想しかできなくなってしまっている。頭が悪いのではなく、勉強の仕方がよくない。にもかかわらず、そのよくない方法を変えようとする発想を失ってしまっている。それが最大の課題だ。

同様のことは、たとえば、卒業後、精神分析を勉強するときにも感じた。

もし、いまから精神分析を勉強しようとする人が、まず、フロイトの『精神分析入門』を読むとしたら、それはまったく無駄な行為となる。理由は二つある。

一つには、入門と書いてあっても、その実、初心者が読むには難解すぎる。さらに、古典的すぎて、通常の治療で精神分析がどのように使われているかがまったく見えてこない。

二つ目は、実は、わたし自身、精神分析を学んでみてはじめてわかったことなのだが、そこに書かれていることは、フロイト自身、のちに全部捨て去った理論なのだ。

そこには、無意識、意識、前意識という心の世界の分類が提示されているが、一九二三年時点ですでに、これはおかしいということで、この理論を事実上放棄し、自我、エス、超自我という分け方に変えている。つまり、無意識を意識化することではなく、自我を鍛えてエスや超自我をコントロールできるようにすることが、心の病の克服法であり、自我を鍛えることが人間の心の発達なのだと、モデルチェンジしているわけだ。しかし、わたしが留学するころには、我が国でその文脈でフロイトが論じられることはなかった（留学先では当たり前のことだったのだが）。

実際、創始者というのは、理論をモデルチェンジすることがよくある。創始者だけが、それができるともいえる。しかし、日本にいながらにしてフロイトの研究をしていた多くの日本の学者は、そういう考え方をせずに、すべてのフロイトの理論をありがたがっている。そもそも、学ぶ内容を間違ったまま勉強してしまっていた。最初のところから、勉強法が間違っていたわけだ。

本書で示す「五〇歳からの勉強法」は、大学受験のための勉強法とも、資格試験のための大人の勉強法とも異なる。わたしにはうまくいった方法だが万人に向くとは限らない。しかし、勉強法次第で、誰でもいつでも勉強ができる、身につくという根本的考え方は変わらない。

いくつになっても、**勉強のやり方は学んだほうがよいと思うし、それさえつかんでおけば、これから先、いくつになっても頭をよくすることができる、**というのが、わたしの基本的なビリーフ、信念体系である。**知的能力は、やり方と考え方次第**なのだ。

本書で、それをお伝えすることができれば、そして、読者の豊かで生産的な今後に生かしていただければ幸いである。

和田秀樹

# 五〇歳からの勉強法　もくじ

**はじめに**　3
五〇歳を過ぎてから、世に出ることは珍しくない　5
わたしが続けている勉強　6
実は、人生でいちばん自由な「思秋期」　8
知的能力は、やり方と考え方次第　10

## 第1章　なぜいま、五〇歳からの勉強が必要か？

**1　七五歳現役社会に向けての五〇歳からの勉強**　26
現実となった七五歳現役社会論　26

バブルの崩壊と年功序列・終身雇用の終焉、そして、格差の拡大　29
ホワイトカラーの仕事も奪うＡＩの登場　31
当面、ＡＩに勝てる仕事とは？　33

2　**勉強こそが長生きの秘訣**　36
高齢者の定義が七〇歳からに変わる？　36
健康寿命と平均寿命の間を縮める　38
健康寿命を延ばすために、何をすべきか？　40
ガンよりも心臓病よりも、歳をとった時点での知的レベルが長生きを決めていた!?　43
旧来型の学力をバカにしてはいけない　45

3　**定年後の仕事のために、いまから勉強を始める**　48
定年後起業の準備は五〇歳から　48
今後の主要マーケットである高齢者向けビジネスを行うのは、高齢者こそふさわしい　50

勉強次第で仕事は拡がる　52
**4　定年後の友人づくりのためにも勉強が役立つ**　54
人脈から友だちへ　54
ワインで人集め　56
秘かな「もてたい願望」も勉強によって　60
**5　勉強が「認知的成熟度」の退行を防ぐ**　62
認知的成熟度という知性　62
老化とともに認知的成熟度は退行する？　64
**この章のまとめ**　68

## 第2章　五〇歳からの勉強の障壁

**1　意欲低下のメカニズムとその傾向と対策**　70
六〇代では、知能は低下しない　70

前頭葉の老化と男性ホルモンの低下により、
五〇代から意欲は低下しはじめる　72
男性ホルモン低下による意欲の低下を防ぐには？　77
前頭葉の老化防止には、前頭葉を使う生活をすること　78
敵はルーティンなこと、味方は想定外のこと！　80
恋愛がいちばんのクスリ!?　81

**2　何を動機づけとしたらいいのか？　83**

誰も目標を与えてくれない　83
動機づけ理論の始まり　84
内発的動機づけ理論の失敗と発展　87
何が社会人の動機づけになるのか？　90
自分に合った動機づけを探すことから始めよう　93

**3　うつや将来不安にどう対応するか？　95**

うつを予防する二つの方法　96

「かくあるべし思考」を改める、認知療法と森田療法 98
「別の道もあるさ」という考え方 100
勉強によって拡がる、別の世界と別の道 101

**4 スキーマから脱出し、思考の柔軟性をいかに手に入れるか？** 103
「決めつけ思考」が勉強への意欲を妨げる 103
「スキーマ」の功罪 106
スキーマを変えることの難しさ 107
答えを得るためではなく、
多様な答えがあることを知るためにこそ、勉強する 110

**5 記憶力は本当に低下するのか？** 112
覚える能力そのものは低下しない 112
記憶力低下は、意欲の低下と復習不足から 114
大人になると、単純記憶より意味の記憶のほうが得意になる 116
アウトプットで、「想起力」を磨く 118

五〇歳からの記憶法 120
6 EQをどう維持するか？ 124
四〇歳を境にEQは低下する？ 124
怒りのコントロールと「共感」を学ぶ 126
この章のまとめ 128

# 第3章 五〇歳からの勉強、何をどのように学ぶか？

1 知識人から思想家に 130
知識量ではなく、その知識に対する独自のとらえ方が問われる 130
五〇歳からの思考法 132
単なる物知りが通用しないのであって、無知なのはもっと通用しない 140

**2 何を学んだらいいか？** 143

何のために勉強するのか？ 143

条件を知る 149

好きを仕事に！ しなくていいが、好きを勉強に！ したほうがいい 151

**3 英語はやはりできたほうがいい** 152

英語はやはりできたほうがいい 152

他に差をつける情報収集を可能にするリーディング力 153

スピーキング力は、発音より内容が肝心 155

**4 日本語を学び直せ** 158

まず、日本語で自分の意見を言う習慣を持て 158

正しい日本語は使えているか？ 160

古典的文章修業の勧め 162

**5 読書は一部熟読法** 164

右から左、上から下まで、幅広く読む 164

テレビは、施政者の裏を読むために観る 165
読書は一部熟読法、ネットは隙間時間活用芋づる式情報収集法で、時間をかけない 166
**この章のまとめ** 168

## 第4章 五〇歳からは、インプットよりアウトプット

**1 アウトプット三つの効用** 170
そもそも勉強はアウトプットするためのもの 170
アウトプットすることで記憶が定着する 173
アウトプットが情報収集の機会となる 174
インプットより、これまでの知識から新しいことを生み出そう 175
**2 反論・批判とどう向かい合うか？** 178
アウトプットの場所は？ 178

反論があるぐらいのアウトプットをする 180
3 スピーチは、原稿書きとリハーサルを怠ってはいけない 183
アメリカ人と日本人のスピーチの差は、リハーサルの差 183
原稿づくりから始める 185
ふだんの会話から相手を楽しませるよう工夫する 186
4 アウトプットで得られる報酬とは？ 188
この章のまとめ 190

## 第5章 勉強が老後を豊かにする

①人が考えないことを考える習慣を持つ 192
②プロセスより結果。短期的な結果より長期的な結果 193
③アクティビティを維持し続ける 195
④上がりのポストを目指さない。人生のゴールを下手に決めない 197

⑤引退後も人が寄ってくる人生こそが豊か　198
**この章のまとめ**　200

**あとがき**　201

第1章

# なぜいま、五〇歳からの勉強が必要か？

## 1 七五歳現役社会に向けての五〇歳からの勉強

### 現実となった七五歳現役社会論

一九九七年、わたしは、『七五歳現役社会論』（NHK出版）というものを上梓した。

当時、一般の企業の定年は五五歳から六〇歳。老齢厚生年金の支給開始年齢は六〇歳だった。しかしながら、六〇歳を高齢者というのは早すぎる、ここは、七四歳までをヤング・オールド、七五歳以降をオールド・オールドと呼んで区別しよう（この考え方はわたしのオリジナルでなく、シカゴ大学教授だったニューガートンという老年学者がすでに一九七四年に発表した考え方ではあるが）、そして、元気なほとんどの七四歳までは、現役で働ける社会にしよう、という趣旨の本だった。

その後、二〇〇八年、後期高齢者医療制度が発足し、七五歳からがその対象となる。オールド・オールドとヤング・オールドの区別が現実となったわけだ。このヤング・オールドとオールド・オールドの違いについては、統計を交えて後ほど詳しく述べる。

一方、老齢厚生年金支給開始年齢は六五歳となり、一定以上の規模の企業には、従業員本人の希望がある限り、六五歳まではなんらかの形で雇用することが義務づけられた。

さらに、老齢厚生年金支給開始年齢を、最終的には七五歳まで引き上げようという動きもあるようだ。となると、定年の年齢の引き上げや高齢者の雇用をさらに促進する政策がとられることになるのは間違いない。

こうして、社会保障費という財源の側面からも、少子化による労働力不足という側面からも、わたしが二十数年前に予感した「七五歳現役社会」が望まれる状況になってきたのである。それどころか、いずれは、「望まれる」のではなく、義務とされる日が来ないとも限らない。

このような状況で、いま、五〇歳のわたしたちにできることは何か？

その答えが「勉強」である。

この先二〇年以上続くかもしれない仕事人生のなかで、**いかに自分を差別化するか？** わたしたちの六〇代、七〇代は、昭和の時代のそれとは大きく異なる。いまこそ、勉強が必要だ。多くの人は、**勉強し続けていかないと生き延びていけない**のだ。

では、何を勉強したらいいのか？

当然のことながら、ここが重要だ。単に趣味のための勉強なら、好きなことを好きなように勉強すればいい。けれども、もし読者が六〇代、七〇代も現役でいたいと望むなら、それを可能とする勉強をする必要がある。

**できるだけ自分を差別化するもの、自分に希少性を持たせるもの。**

これに役立つことを学ぶべきだ。


では、今後、いったい何が希少性を持つのか？

そのことを見極めるには、社会の現状を知り、これからを予測する必要がある。

というわけで、まずは、いまの時代の現状分析から始めよう。

## バブルの崩壊と年功序列・終身雇用の終焉、そして、格差の拡大

思えば、わたしが『七五歳現役社会論』を上梓した一九九七年というのは、現在のこの状況の始まりの年でもあった。バブル崩壊。不良債権処理のために、山一証券と北海道拓殖銀行は潰された。翌九八年から自殺者が十四年間連続三万人突破。

まさに痛みを伴った日本社会の構造改革のなかで、終身雇用・年功序列は、徐々に成果主義へと転換していった。

グローバルスタンダードの名の下のアメリカ型経営の拡がり、それは、株式がコン

ピュータで何億分の一秒もの速さで売買される金融資本主義の下での、時価総額と株主利益が重視される株主資本主義の拡大でもあった。トップと従業員の所得の格差が急速に拡大していくのも、このころである。アメリカでは以前からそうだったかもしれないが、いっそうの拡大傾向になっていくのも、日本で本格的にそれが現実化していくのもこのころからだった。

そんななかで、ピケティ（『二一世紀の資本論』）やサンダース（二〇一六年アメリカ大統領選挙民主党代表候補戦にてヒラリー・クリントンに敗れるも予想外の善戦をし、一部に熱狂的な支持者を持つ）のような社会主義者が人気を博しているのは、ある意味、当然の流れといっていいだろう。

しかしながら、そう簡単に所得格差が是正され、古き良き時代が甦るとは思えない。それどころか、少なくともあと二〇年は、格差は拡がることはあっても縮まることはないと思われる。その理由は、ＡＩにある。

第四次産業革命ともいわれるＡＩとインターネットによるまったく新しい世界が、

いま静かに幕を開けようとしている。

## ホワイトカラーの仕事も奪うＡＩの登場

日本の工場に、産業用ロボットが盛んに導入されたのは、一九九〇年代のことだった。そのときは歓迎された。終身雇用・年功序列だから、オートメーション化が進むからといってクビになる心配もなく、仕事が楽になったからだ。

しかし、今後、ＡＩやそれを搭載したロボットが、オフィスや工場に大量に入ってきたら、どうなるか？

「ロボットですむ仕事なのに、なぜ人間を雇っているんだ⁉　そのぶんの人件費を配当に回すべきではないか」と主張する、もの言う株主の圧力に勝てる経営者は、どの程度いるだろう？

工場の仕事だけではない。飲食店などのサービス業でも、たとえばロボットのお運びさんなどのほうがかえって喜ばれるかもしれない。さらにアメリカでは、単純な弁護士作業を、香港では経営者を、AIにするところが現れてきた。医者の仕事の多くも、じつはAIのほうが得意な領域だ。**知的な仕事ほど、AIは優れる。**AIに勝てる人間はそうそういるものではない。

一方、最初に導入されるであろう3Kの仕事の現場でも、3Kの仕事しかありつけない人々から仕事を奪うことになる。原発の廃炉作業をして、そこそこの給料をもらっていた人は、次の仕事をどうやって見つけたらいいのだろう？

かくして、世の中の人の八割が失業するともいわれている。人間にしかできない仕事といったら、ホスト、ホステスなどの風俗関係の仕事しか残らなくなるかもしれない、と。

もちろん、AIとロボットに仕事を任せて、人間は、ベーシックインカムをもらって、昔のギリシャの「市民」のように、議論と哲学だけしていればいい（当時は奴隷に仕事を任せていた）、という時代が来るかもしれない。現在のクウェートなどのように、市民権を持っている限り遊んで暮らせる時代が来るかもしれない。

しかし残念ながら、近くそういう日が来る確率は、失業者二〇〇〇万人時代の到来の確率よりずっと低い。よく日本は法人税が高すぎるといわれるが、実はアメリカのほうが高い。その代わり消費税（売上税）は、州ごとに異なるもののヨーロッパのようには高くはない。にもかかわらず、法人税を安く、消費税を高く、というヨーロッパ型の税制がグローバルスタンダードだなどといって金持ちの味方しかしない（そうでないコメンテイターはいくら本が売れていても、わたしのように干される）マスコミが強い（選挙期間が先進国と比べて異常に短いので知名度が高い人間が選挙に勝つ）日本では特にそうだ。

わたしたちは、自分の身を自分で守らなければならない。

**ロボットやAIには生み出せない価値をつくりださなければいけない**わけだ。

## 当面、AIに勝てる仕事とは？

というわけで、わたしたちに必要なのは、まずＡＩにはできない仕事は何かを考えることである。知識はダメだ。**知識では、とうていＡＩに勝てない。**

あとから詳しくお話しするつもりだが、これから求められるのは、**知識より思想だ。**

いずれ、ＡＩのシンギュラリティが訪れて、思想でもＡＩに勝てなくなるかもしれないが、当面、あと三〇年は大丈夫だろう。


**答えを出すのではなく、問いをつくる。**

**答えがないから試しにやってみる。**

**いろいろな答えを出す。人の心理も包括した答えを出す。**


そうしたことなら、いまのところ、ＡＩに勝てる。

マニュアル化できない温もりのある個別対応のサービスも、いまのロボットには難しいだろう。五感のうち、味覚、触覚が重視される領域の仕事もいいかもしれない。

たとえば、料理人などがこの領域の仕事にあたる。

ともかく、年功序列・終身雇用が崩れた時代、さらに年金の支給開始年齢が延長され、高齢者も働くことを余儀なくされる時代、その時代にＡＩがやってくる。そのことを前提に、いまから勉強していかないと生き延びられないかもしれない、ということだ。

## 2 勉強こそが長生きの秘訣

### 高齢者の定義が七〇歳からに変わる？

先に述べた『七五歳現役社会論』では、高齢者のうち、六五歳〜七四歳をヤング・オールド、七五歳以上をオールド・オールドとしたわけだが、これは、現在の前期高齢者、後期高齢者にあたる（ちなみに九〇歳以上は「超高齢者」とされる）。そして、実際、前期高齢者と後期高齢者では状況が全く異なり、次のページのグラフのように、七四歳までは、認知症も身体疾患要介護の比率も、それまでの年代の発症率とたいして変わらないが、七五歳を境に急激に増加する。

最近では、内閣府実施の意識調査や医療の現場におけるさまざまなエビデンスから、

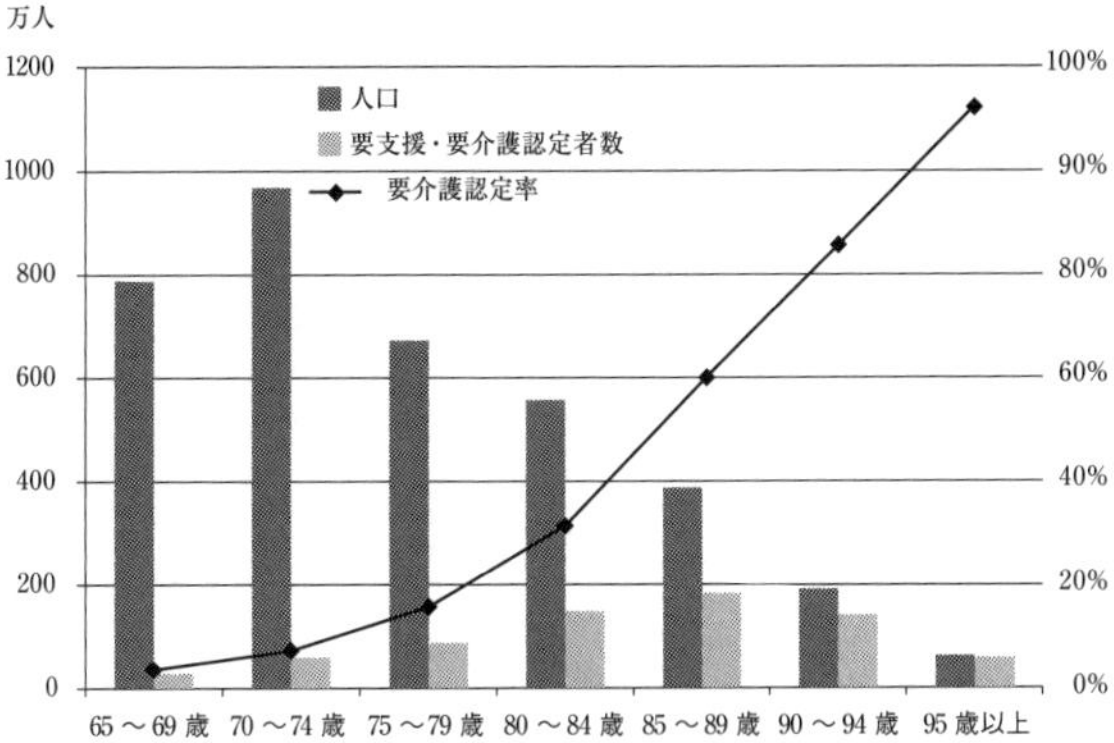


資料：厚生労働省「介護給付費実態調査」、総務省「人口推計」　【令和3年10月（全国）】

## 年代別の推定認知症有病率

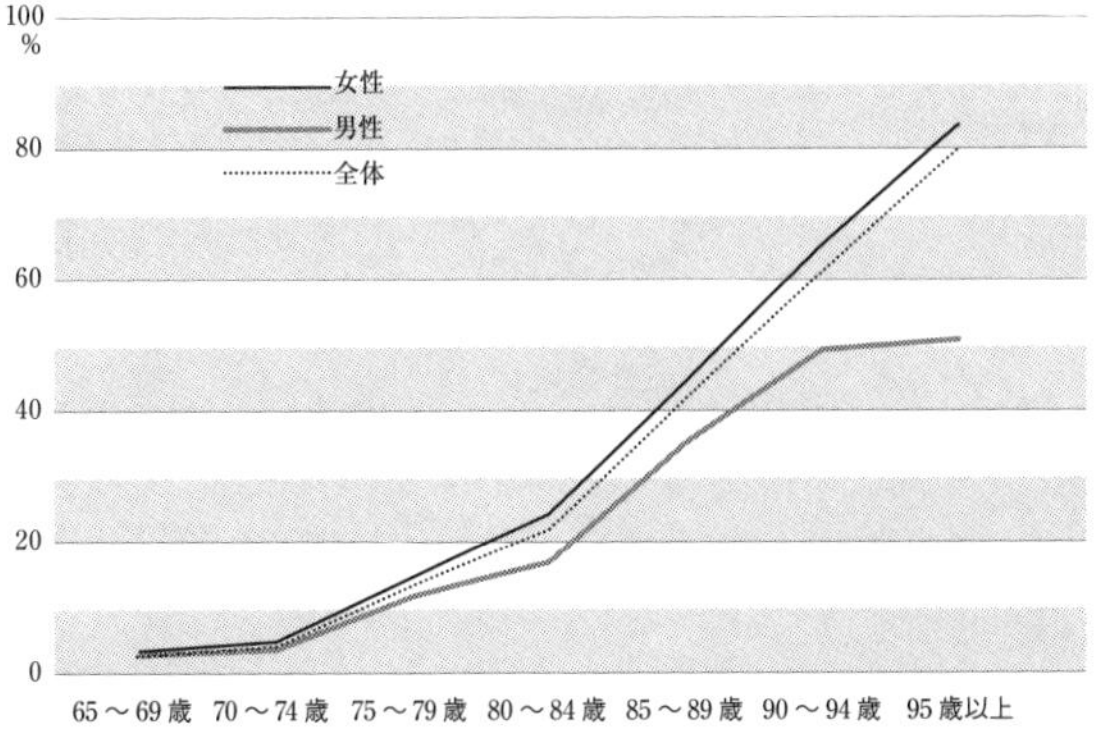


※厚生労働省研究班による

高齢者の定義を現在の六五歳以上から七〇歳以上に変えようという動きもある。

二〇一五年の日本老年学会（わたし自身はこの学会は厚生労働省の御用学会だと思っているが、だからこそ厚生労働省の基本的な考え方を反映しているものだといえる）では、次のような声明が出された。

「最新の科学データでは、高齢者の身体機能や知的能力は年々若返る傾向にあり、現在の高齢者は一〇～二〇年前に比べて、五～一〇歳は若返っていると想定される。個人差はあるものの、高齢者には十分、社会活動を営む能力がある人もおり、このような人々が就労やボランティア活動など社会参加できる社会をつくることが、今後の超高齢社会を活力あるものにするために大切である。」

## 健康寿命と平均寿命の間を縮める

さて、日本人の令和三年度の平均寿命は、男八一・四七歳、女八七・五七歳だが、五〇歳における平均余命となると、男三二・九三、女三八・六一歳と、さらに伸びる。

いずれにしろ、いまや世界で一、二を争う長寿大国日本。健康寿命、すなわち介護の必要なく自立して、日常生活に制限のない生活のできる年齢も、男七二・六八歳、女七五・三八歳（令和三年厚生労働省発表）と、世界で二、三位を争う。

問題は、健康寿命と平均寿命の差。つまり、要介護など日常生活に制限のある状態で過ごす期間の長さだ。こちらは、男八・七三年、女一二・〇六年と、けっして褒められた数字ではない。

五〇歳というのは一般に、子育てをなんとか終えたと思ったら、老親の介護が始まり、自分自身の将来も憂うころだと思われるが、読者のなかには、「いや、自分の親はもう八〇歳を超えているが、頭も身体も元気でぴんぴんしている」という方もいらっしゃるだろう。

つまり、たしかに要介護状態で過ごす期間の平均は一〇年前後かもしれないが、あくまでも平均であって、九〇歳を超えても自立して生活できるお年寄りはいる。寿命と健康寿命の差がほとんどないわけだ。一方で、二〇年以上要介護状態の人も少なくない。そこでまず考えたいのは、いかにして自分の健康寿命を延ばしていくか、ということだろう。

## 健康寿命を延ばすために、何をすべきか？

ここ二〇年ほどで、すっかり「老後」の意味が変わってしまった。時期も変わってしまった。働きたくない人まで全員が働く必要はないが、いま、五〇歳の人は、少なくともあと二〇年は、現役でいることもできるわけだ。

ただし、心身ともに健康で自立できていれば、の話である。

仕事は六〇歳で引退して、あとは好きなことをして過ごしたいという人でも、健康でなければ好きなこともできない。できれば死のぎりぎりまで自立していたい、健康寿命が尽きたときが臨終のときであってほしいと、誰もが願っているはずだ。

では、健康寿命を延ばすためには、どうしたらいいのか？

身体機能については、食事、運動、サプリメントなど、多くの人がそれぞれに工夫しておられると思う。問題は、脳の老化対策だろう。

一時期、東北大学の川島隆太博士の『脳トレ』（脳を鍛える大人のDSトレーニング）が爆発的ヒットとなったが、『脳トレ』の効果のほどはともかく、**何であれ頭を使っている人のほうがそうでない人より、健康寿命どころか、寿命そのものも長くなる**、という研究結果がある。拙書『40歳から何をどう勉強するか』（講談社刊）でもご紹介したもので恐縮だが、あらためてご紹介しよう。

次ページの表がそれで、オランダのフライ大学のシュミッツらが、アムステルダム郊外に住む五五歳〜八五歳の男女二三八〇人を対象に行った四年後の死亡率の調査の結果である。

年齢、学歴、心臓病の有無、ガンの有無、情報処理速度のレベル、流動性知能のレベルのうちのどれがもっとも死亡率と関係があるのかを見たものだ。

ちなみに、情報処理速度のテストは、最初に、A－G、B－Sなどのように二個が

### 年をとってからは、知的機能に優れているほうが長生きできる

| | 諸条件 | 総人数 | 4年後の死亡者数（死亡率） |
|---|---|---|---|
| 年　齢 | 55 ～ 64 歳 | 836 人 | 31 人　(3.7%) |
| | 65 ～ 74 歳 | 783 人 | 70 人　(8.9%) |
| | 75 ～ 85 歳 | 761 人 | 162 人　(21.3%) |
| 学　歴 | 中卒レベル | 952 人 | 132 人　(13.9%) |
| | 高卒レベル | 1,084 人 | 93 人　(8.6%) |
| | 大卒レベル | 351 人 | 39 人　(11.1%) |
| 心臓病の有無 | 無 | 1,922 人 | 180 人　(9.4%) |
| | 有 | 458 人 | 83 人　(18.1%) |
| ガンの有無 | 無 | 2,172 人 | 227 人　(10.5%) |
| | 有 | 208 人 | 36 人　(17.3%) |
| 情報処理速度 | 0 - 24.50 | 1,180 人 | 194 人　(16.4%) |
| | 24.51 - 50.70 | 1,200 人 | 69 人　(5.8%) |
| 流動性知能 | 2 - 18 | 1,219 人 | 182 人　(14.9%) |
| | 19 - 24 | 1,161 人 | 81 人　(7.0%) |

（シュミッツら“Am J Epidemiol vol.150,978,1999”より引用、一部改変）

※オランダ・アムステルダムの55歳から85歳の地域住民2,380人を対象に行った調査で明らかになった、個々人の構成要素ごとの4年後の死亡率。

※「情報処理速度」「流動性知能」共、数値が高いほど知的機能に優れている。

対になったアルファベットの一覧表を見せ、その後、ＫＧＢＳ…といった文字列を提示して、どれに対応するかの並べ替えをさせるもの。流動性知能は、一部が欠けた図形を見せて、欠けた図形に一致する図を選択させるパズルだ。

## ガンよりも心臓病よりも、歳をとった時点での知的レベルが長生きを決めていた!?

四年後の死亡率に年齢がもっとも関連が深いのは言うまでもないとして、その違いが次に大きいのが、情報処理速度だったことは注目に値する。すなわち、このテストで上位一二〇〇人にいるグループは残りの下位グループと比べて、四年後の死亡率が三分の一程度なのだ。流動性知能についても、その差は約二倍と、ガンの有無による違いを上回る。

つまり、五五歳から八五歳に達したときに高い知能を保っていれば、それだけ長い寿命が期待できるということだ。

こんなことを言うと、では、もともと頭のいい人のほうが長生きするということか、と言われてしまいそうだが、そうではないことはやはりこの調査結果の学歴のところをご覧になればおわかりいただけるだろう。学歴による死亡率の差は、調査項目のなかでもっとも小さい。さらにいえば、大卒より高卒のほうが死亡率が低いのだ（中卒の死亡率が高いのは、若い世代ほど進学率が高いため調査対象者の平均年齢が高くなっているからだ。そういう意味では、平均年齢が低いはずの大卒者において、四年後の死亡率が高くなっているのは深刻だ。学歴が高い人ほど定年後、何もしないからだろう）。

つまり、**若いころ勉強ができた、勉強を頑張った、ということは寿命にはほとんど関係がない**。それよりも、歳をとってからも知的レベルが維持できているかどうかが重要だ、ということだ。

だから、勉強である。四〇歳だろうが、五〇歳だろうが六〇歳だろうが、勉強し続けること。**勉強こそが、なまじっかな運動や過度の運動よりも、長生きの秘訣**なのである。

## 旧来型の学力をバカにしてはいけない

このように、たとえば東大に入っても、その後まったく勉強しないのだったら、仕事の上でもたいした成果はあげられず、ただの平凡な五〇歳となるだけだ。そういう人はたくさんいる。反対に、いわゆる偏差値上は低い大学を出ていても、その後、努力して成功している人は少なくない。学歴とはただ、試験で点数をとる一八歳時点での能力を示すものにすぎないからだ。

ただし、だからといって、旧来型の学力をバカにしがちな最近の風潮にも疑問を感じる。

入試科目が私立を中心に年々減るにつれ、高校では受験しない科目の勉強を一切しなくなってきている。ＡＯ入試という、ほとんど一般的な受験勉強をしなくても入れる入り口もある。その結果、ほとんど数学のできない者、ほとんど世界史も日本の近代史についても無知な者が、有名私学を出て一流会社に就職したりしている。

このことが、知らず知らずのうちに、日本の国力を低下させることになるまいか。

昔は、詰め込み教育をさせられて、その結果、大学に入った。だから頭が固い、だから創造力がないといわれてきた。けれども、いまの日本製のパソコン、スマホを使っていて思うのは、昔の日本製品は、こんなに故障が多かっただろうか、その結果としてのクレームを社長が許し続けただろうか、ということだ。

YKKのファスナーが世界中で売れている理由は、外国製のファスナーのついた衣服を着てみればわかる。ファスナーの特許などとっくに切れているのに、日本人がつくるだけで違うのだ。日本製のベアリングの性能がいいため紙詰まりが滅多に起こらないことが、いかに優れたことなのか、外国製のコピー機を使ってみればわかる。

これまでの均質な高い技術力、勤勉さに支えられてきた日本の製品の強みがなくなってしまうことにはならないか。案じられてならない。

このように考えると、案外、いまという時代は、中高年には有利かもしれない。いまの若い大卒よりも、五〇歳ぐらいの同じ大学出の人のほうが、優れた能力を発揮するということは十分考えられるからだ。

若いからといって、発想力があるわけではない。潜在能力が高いわけでもない。あくまでも個人差である。徹底した能力主義のアメリカでは、年齢によって冷遇されることはないし、年齢差別禁止法という立派な法律があって、求人広告に年齢制限を書くことは許されない。労働者人口の激減する超高齢社会日本にもその日は近いかもしれない。

その日のためにも、勉強を続け、知識も技術も日々、アップデートさせていくことをお勧めする。

# 3 定年後の仕事のために、いまから勉強を始める

## 定年後起業の準備は五〇歳から

七五歳現役社会といっても、現実には、六〇歳を超えても第一線で働けるのは、オーナー社長か、大企業の取締役クラスまで出世した者、企業内で希少性のある技術や力を持つ者、天下りするキャリア官僚、あるいは、大学教授や弁護士、開業医など専門職の人たちぐらいだろう。一般の会社員は、六〇歳、あるいは六五歳以降の仕事を新たに探さなければならない。

特に会社員の場合、五〇歳というのは、役員になれるかどうかがだいたい見えてく

る年齢でもある。そして、いうまでもなく、役員まで進めるのは、ごくひと握り。ほとんどの会社員が、定年後の人生に備えなければならない。

起業も、定年後の人生の選択肢のひとつだ。最近は、六〇歳なり六五歳なりで定年を迎えたあとでの起業を考えている人が少なくない。「はじめに」で書いたように、現在の六〇代の心身の若さを思えば、十分に可能だ。

前述のように、子どももすでに独り立ちしているころだから、家族を養う責任からも離れ、かえってリスクがとりやすい年代だともいえる。有名になりたい、お金持ちになって誰かを見返してやりたい、もてたいといった不純な（？）動機（それでもいいとわたしは思うが）から自由になって、堅実な事業経営ができるということもあるだろう。

しかしながら、わたしの信頼する定年後起業のコンサルタントの方によると、定年後起業で成功するのは、定年になってから起業塾に通い出す人ではなく、定年になる前の五〇代、あるいは四〇代のときから、ある程度の計画を立てていた人だというのだ。

これは、実際の準備の中身というより、意欲の問題が大きい。次の章で詳しくお話しするが、やはり、前頭葉の老化もあって、年齢を経るにしたがって、意欲が低下してしまいがちなのだ。起業には、ビジネスプランを立てる発想力も必要だし、特に創業時には、なにかと困難が伴うものだが、そんなとき、なかなか柔軟な発想ができなかったり、まあいいか、やめようか、とあきらめるのが早くなってしまったりするようなのだ。

したがって、起業するのは定年後でも、その計画は五〇代から始めておいたほうがいい。そのための勉強をするのだ。

## 今後の主要マーケットである高齢者向けビジネスを行うのは、高齢者こそふさわしい

実際、巷を賑わすのは若者型の起業だが、六〇歳以上の金融資産が全体の七割を占

めるとされるいま、そのメインターゲットをつかめるビジネスは、むしろ五〇歳以上の人たちにこそ向いているのではないだろうか？

三七ページのグラフからもわかるように、六五歳の高齢者のうち多くの人は要介護状態にはなっていない。高齢者三六〇〇万人のうち、要介護認定者は六九〇万人程度にすぎないのだ。つまり、約二九〇〇万人に対するビジネスチャンスはまだまだある。いまは、せいぜいが健康食品のテレビショッピングと旅行ぐらいしか、お金の使い途が与えられていない巨大なマーケットがそこにあるわけだ。

しかし、かれらのニーズは、若い人たちには、なかなかとらえられない。そんなとき、同世代による商品企画が力を持つのではないだろうか。

かつて、女性の下着や生理用品まで男性社員が企画を立てていた。企画の場に、女性がひとりもいないまま女性向けの商品を考えていた。いまでも決定権者は男性というところが多いのかもしれない。しかし、ほとんどのものがすべて行き渡った現在、消費者目線での商品開発がなければ、新たな需要は喚起できない。女性向けの商品は女性が考えるほうがニーズをとらえられるに決まっている。高齢者を対象としたビジネスも同様だ。高齢者向けの商品企画には、高齢者が必要なのだ。

これについては、企業での就業の継続、また再就職などが考えられるが、主婦の目線で企業に商品企画や新商品のリサーチなどを提供する主婦のネットワークを築いてビジネスにしている主婦が設立した会社があるくらいだから（同様に、高校生のネットワークを売り物にしている高校生社長のマーケティング会社もあるらしい）、高齢者のネットワークとそこから得られるマーケティング情報を提供するビジネスの高齢者による起業も十分に考えられるだろう。

その場合は、五〇代のときから、会社を離れたネットワークづくりに励んでおいたほうがよさそうだ。これも立派な「勉強」である。

## 勉強次第で仕事は拡がる

最後に、そこまでの行動力はないな、と感じている方に。産業カウンセラーなどの資格をとるのもいいだろう。わたしは、臨床心理の大学院で教えていたのだが、そこには、五〇代から定年を過ぎた人まで、多くの中高年が臨床心理士の資格をとろうと学んでいた。

実際、二〇一五年度から厚生労働省により、職場におけるメンタルヘルス対策が一定以上の規模の事業所に義務づけられるようになるなど、メンタルヘルスの領域は、介護事業と並んで、今後、需要が拡がっていくものと思われる。社会人経験を積んだ五〇歳以上の人にこそふさわしい仕事ともいえるだろう。

これは一例にすぎないが、定年後の起業、独立、いまの仕事とは別の世界での仕事の道は勉強次第で、案外あるものである。

# 4　定年後の友人づくりのためにも勉強が役立つ

## 人脈から友だちへ

起業も、独立もしたくない。定年後は、仕事はもう引退して、その代わり、気の合った友人とワイワイ過ごしながら、豊かな老後を過ごしたい、と思っている方もいるかもしれない。けれども、特に男性の場合、そのためにも、勉強が必要だということをご存じだろうか？

そもそも仕事を離れて、互いにビジネス上の利害関係を持たなくなったあとでも、つまり相手から見たら、あなたにもはや「利用価値」がなくなったあとも、あなたとつき合い続けたい、という人がどのくらいいるだろうか？

定年後、多くのビジネスマンが感じるのが、現役時代、あんなに集まってきていた人々が潮が引くように去っていく、その一抹の寂しさだ。みんな、今度は、あなたの後を継いだ後任のもとへと集まっていくのだ。

それはしかたがない。みな、仕事上の役割のもとでのつき合いだったからだ。つまり、「人脈」だ。お互いに仕事上、得るものがあるからつき合う。互いに人脈を交換し合いながら、さらに人脈を拡げていく。

仕事を辞めたあとも、つき合いが続くとしたら、それはビジネスを離れても、互いに得るものがあるからだろう。それを友だちという。**定年後というのは、人脈の代わりに友だちをつくる時期**でもある。

では、仕事を離れたのちのわたしたちが人に提供できるものとはなんだろう？

いっしょにいるだけで心が穏やかになるような人徳者だったり、歳をとっても見惚れるほどのイケメン、美女だとしたら、あるいは、周りに有名人が集まるようなセレブだとしたら、それだけで人が寄ってくるのかもしれないが、凡人ではそうもいかない。少なくともわたしには無理だ。

けれども、あの人といると、いつもなにかしら面白い話題があって、刺激を受ける。同じように刺激的な人とたくさん会える。知らないことをいろいろと知ることができて、世界が拡がる……そんな存在にだったら、勉強次第でなれるのではないか？

というわけで、**勉強は、老後の交友関係を拡げていくうえでも役に立つ。**

## ワインで人集め

わたしの場合は、ワインである。定期的にワイン会を開いている。もともとワイン好きだということもある。そして、ワインの場合、ひとりで飲むわけにはいかない。ワインというのはやはり人と飲むものだ。

ただ、この歳になると、二、三万で簡単に手に入るようなワインを振る舞っても、なかなか人は集まってくれない。しかし、珍しいワイン、よいワインが飲めて、しかも、ワインに詳しくなれる、となると話は別だろう。

毎月一回、毎回、合計すると一〇〇万円分ぐらいのワインを空けてしまう。興が乗るとうっかり、もっと高い、先までとっておくつもりだったワインを空けてしまうこともある。ただ、そういうことがないと、その手の高級、もしくは珍品ワインの味を知らないままで終わってしまうので、それでいいと思っている。

そのために、アメリカに買い付けに行ったり、知り合いから買ったりしている。オークションにも先日はじめて行ってみた。つい熱くなってしまって、三五〇万円も使ってしまい、あとで青くなった。

バカなことを、と思うかもしれない。ワインで人集めをしている、というのは十分自覚している。たしかに、わたし自身に魅力があれば、安いワインでも人は集まるかもしれないが、魅力がないのだからしかたない。だから、一〇本や二〇本、世間さまが一目置いてくれるようなワインを持っていることで、「これ、開けるから、来ない?」と言えるようにしているわけだ。

もともとはアメリカのカルトワインを集めることが、わたしのワイン通（までいっているかわからないが、そう思ってくれる人がいるようだ）人生のスタートだった気がする。少し脱線するが、ワインのことを話させていただくと——

オーパスワンはかなり有名なアメリカの高級ワインだが、それより高級で珍品のカリフォルニアワインはたくさんある。決まった畑でつくらない限りは、ワインのいい格付けが与えられないフランスと違って、アメリカの場合は、おいしいワインをつくればすぐに値段が上がるから、資本主義的な競争で、シンデレラワインと呼ばれるものが次々出てくる。それを見つけて振る舞っていたら、いろいろな人に喜ばれた。アメリカワインの場合は、フランスのものと違って開けてすぐおいしいし、素人にもわかるようなおいしさなので、友だちを増やすにはうってつけだ。

ただ、それだけだと本当にワインに詳しい人間にバカにされるので、別のルートで、フランスの銘醸ワインにも手を出しはじめた。

たとえば、ルパンの二〇〇〇年、ペトリュスの七五年、ラフルールの八二年といったフランスのポムロール地方の銘醸ワインをそれぞれ数本持っているのだが、味がわかりやすいアメリカワインと違って、こちらのほうは、そもそもそれがどういう価値を持つものなのか、どういうワインなのか、ということを知らないと、集めることもできない。振る舞うときに解説することもできない。逆に言うと、それができると多くの人に喜んでもらえるということだ（高いだけで喜んでくれる人もいるが）。

すなわち、勉強である。

人によっては、ラーメンでもジャズでもいいだろうが、わたしにとっては、ワインである。ワインについての勉強が、わたしにとって交友関係を拡げ維持していくための必須科目となっているのである（いまでは、ワインだけだと嫌味なので、ラーメンも相当勉強しているが）。

少なくとも四〇代後半から友だちが急に増えたのは、前述の文化人団体に入っただけでなく、ワインとラーメンに詳しいから、そのメンバーやかれらが紹介してくれる人との親睦が深まったからだと思うし、金だけ使うのではなく、勉強をしているから、リピーターも多いのだと信じている。

## 秘かな「もてたい願望」も勉強によって

さて、このように仲間が集まる場所をつくっていたり、あるいは積極的に参加したりしていると、そこには当然、自分にとって魅力的な異性との出会いも起こり得るだろう。

すると、外見に気を配ったり、博学ぶりで気を惹こうとますます勉強に励んだりすることになる。不倫となってしまうようなことを推奨するつもりはないが、こうしたささやかなときめきは、人の見た目年齢、つまり、健康寿命をよい方向に改善する。

五〇歳になったら二〇代のガールフレンドを持とう、などと書いている本があるようだが、富豪や芸能人ならともかく、一般の中高年が、娘や親戚、会社以外の若い女性と触れ合う機会など、ほとんどないのが現実である。たとえ映画俳優並みのナイスミドルであったとしても、若い女性にとっては、おじさんはおじさん。そもそも目に入らない。立場を利用しようとすれば立派なセクハラだ。しかし、勉強を続けていれば、どうだろう。中高年がうんちく話で若い女性の気を惹こうとする姿は、傍目にはみっともよいものではないかもしれないが、勉強することによって、少なくとも「話の面白い」おじさんとして、親しんでもらえる可能性ならあるかもしれない。

女性の場合も、音楽や美術、文学、歌舞伎など趣味があれば、コンサートや美術館に通いつつ勉強していくとよいだろう。同じ趣味の人たちとの新しい出会いが結構あるものである。そのなかには、俳優並みのイケメンの若いインストラクターやロマンスグレーのダンディな紳士もいるかもしれない。それだけでなんとなく心が浮き立ち、心身のアンチエイジングにも自然と身が入るだろう。

このような「不純な」(?)動機であったとしても、やはり勉強は、中高年になっても、身を助ける。脳も心も、若返らせる。豊かで充実した引退後の生活を楽しむためにも、五〇歳ぐらいのうちから、少しずつ勉強していくことをお勧めする。

# 5　勉強が「認知的成熟度」の退行を防ぐ

## 認知的成熟度という知性

頭のよさの定義にはいろいろある。いろいろな知性がある。そのなかには、単純な記憶力や情報処理速度のように明らかに若い人ほど有利なものもあれば、年齢によってはほとんど変動のないもの、そして、年齢とともに上昇するものもある。その年齢とともに上昇する知性のひとつが、**「認知的成熟度」**だ。

いわば、白と黒の間にグレーをいくつ認められるか、という能力だ。あるいは、ひとつのことに対して、答えをひとつに決めつけず、いくつの答えを考えられるか。

たとえば、非常に幼い子どもや動物の場合、少し飲むと薬になるがたくさん飲むと毒になるもの、というのはすべて毒だ、と認識する（人間の子どもの場合は、親がそう認識させる）。「これはたくさん飲むとたいへんなことになるから、少しだけ飲みましょうね」というのが理解されるのは、もう少し成長して認知的成熟度が上がってからだ。

あるいは、小学校の低学年ぐらいまでの子どもによくありがちなのが、「先生がこう言ったから、こうするのが正しい」と言い張って、頑として別の方法を認めないとか、「このキャラは悪者かいい者か」の二つに分けたがり、悪者だけれど本当はいい人だとか、この人にもそれなりの事情があって、などといったことは理解できない、といったことだ。

そうした子どもたちも社会経験を積むうちに、世の中には、単純に敵か味方か、善か悪かとは二分できないことがたくさんあることに気づくようになる。あるいは、物事を決まりや前例や権威で決めつけてしまうのではなく、こういう可能性もある、ああいう可能性もあると、さまざまな選択肢を考えられるようになる。こんな例外もあるんだ、世の中には多様な価値観を持つ人がおり、自分が考える理想が万人にとってのそれとは限らない、思いどおりにはいかないものだ、ということがわかってくるのだ。

これらを認知的成熟度が増す、という。

認知的成熟度は、一般には、子どもから大人になるにつれて上がっていく。それにつれて、思考の柔軟性や決めつけに縛られない自由度が増していく。

## 老化とともに認知的成熟度は退行する？

ところが、この認知的成熟度、困ったことに、五〇歳前後から、退行しがちなのである。つまり、また、幼児のときのように、白か黒かのオールオアナッシングでしか、物事をとらえられなくなってくる。白黒はっきりさせないと気がすまなくなってくる。自分の経験ではこうだったからわたしの意見は絶対正しいと信じて疑わず、反対意見に耳を貸そうとしなくなる。

一般には、前頭葉の老化に伴って起こりがちな思考の老化である（前頭葉の老化については、次の章で詳しくお話しする）。

この「老化」は個人差が激しく、若い人の間にも珍しくない。わたしたちは、ともすれば「経験則の罠」にはまりやすいからである。社会経験を積むうちに、世の中の複雑さを知る一方で、試行錯誤の末にうまくいった方法を得ると、これが正解だと思い込むようになっていくのである。

経験則は、物事の処理速度を上げ、失敗を減らすメリットはあるが、一方で、たったひとつの成功例にとらわれて、新しい可能性を切り開いていくことの邪魔をする。だから、「罠」なのである。そして、この経験則の罠にはまらず自由な発想をし続けることのできる人が、ビジネスでも成功する。

たとえば、セブンイレブンを日本で成功させ、日本にコンビニエンスストアを定着させた鈴木敏文氏は、社員が陥りがちな経験則的な決めつけを廃して、顧客のさまざまな潜在的ニーズを切り開いていったことで知られる。

たとえば、冬場はアイスクリームが売れない、という経験則を破って、冬もアイスクリームが売れることを実証してみせたり、なんでも安いほうが喜ばれるという当時の常識を打ち破って、ひとり暮らしの人には、多少割高でも小ロットの食料品のほうが喜ばれることを示してみせたりした。

学者の世界では、自分の説が絶対に正しいといって譲らない人が非常に多い。そのほうが賢く見える、というのも多分にあるかもしれない。しかし、勉強することでかえって決めつけが激しくなるなら、本末転倒だ。

実際、自分の説にこだわって頑として変えようとしないより、「でも、こういう考え方もありますよ」「こういう可能性についてはどうでしょう」という意見について、聴く耳を持ち、さらには、試してみるという人のほうがずっと賢く見えるものだ（実際、賢いわけではあるが）。

大人の勉強というのは、ひとつの真理や真相を追究して、ひとつの答えにたどりつくことでなく、いろいろな説があること、いろいろな可能性があることを知るためにするものだ。それはわたしの信念でもある。

わたし自身も、自分の意見が必ず正しいとは言えないといつも思っている。試してみるまではわからない、いろいろな答えがある、仮に相手が正しくて自分も正しいかもしれない、と。

歴史のようなものにしても、もちろん真実はあるのかもしれないが、いろいろな解釈があり得るから面白いわけだし、経済学説や心理学説でも、どこかの学派の信者になるのではなく、いろいろな事項について、あるいは個別の心理事象や患者さんに対して、いろいろな仮説を立てられる人が強いはずだ。

だからこそ、勉強だ。

経験則に頼らず、つねに新しい方法を試してみるための勉強が必要だ。

## この章のまとめ

①七四歳までは知的レベル・身体レベルとも、さほど低下することのない高齢者が増えている。七五歳現役社会は現実味を帯びてきている。そこで必要なのは、いかに自分に希少価値を持たせるか。そのために勉強が必要である。

②勉強こそが、健康年齢はもちろん、実際の長生きの秘訣である。

③定年後の仕事のためにも、五〇歳から準備のための勉強を始める。

④勉強次第で、仕事は拡がる。

⑤定年後は、人脈から友だちへ。勉強は、友人づくりにも役立つ。

⑥勉強が「認知的成熟度」という知性の退行を防ぐ。

第2章

# 五〇歳からの勉強の障壁

# 1 意欲低下のメカニズムとその傾向と対策

## 六〇代では、知能は低下しない

第一章でお話ししたように、わたしたちが一般にいだく高齢者のイメージ——運動機能が低下し、動作が鈍い、歩行速度が遅い、記憶力、判断力など、知能テストの点数が落ちる、といった症状は、実は、七五歳以上の方に見られはじめるものだ。なかには、八〇代まで変わらない人もいる。

少々古い調査で恐縮だが、通称小金井研究と呼ばれる、小金井市の一般住民の調査でも、七三歳の段階では、いわゆる動作性知能も運動知能も、平均で一〇〇を超えている。

言語性知能は高齢者になっても維持される

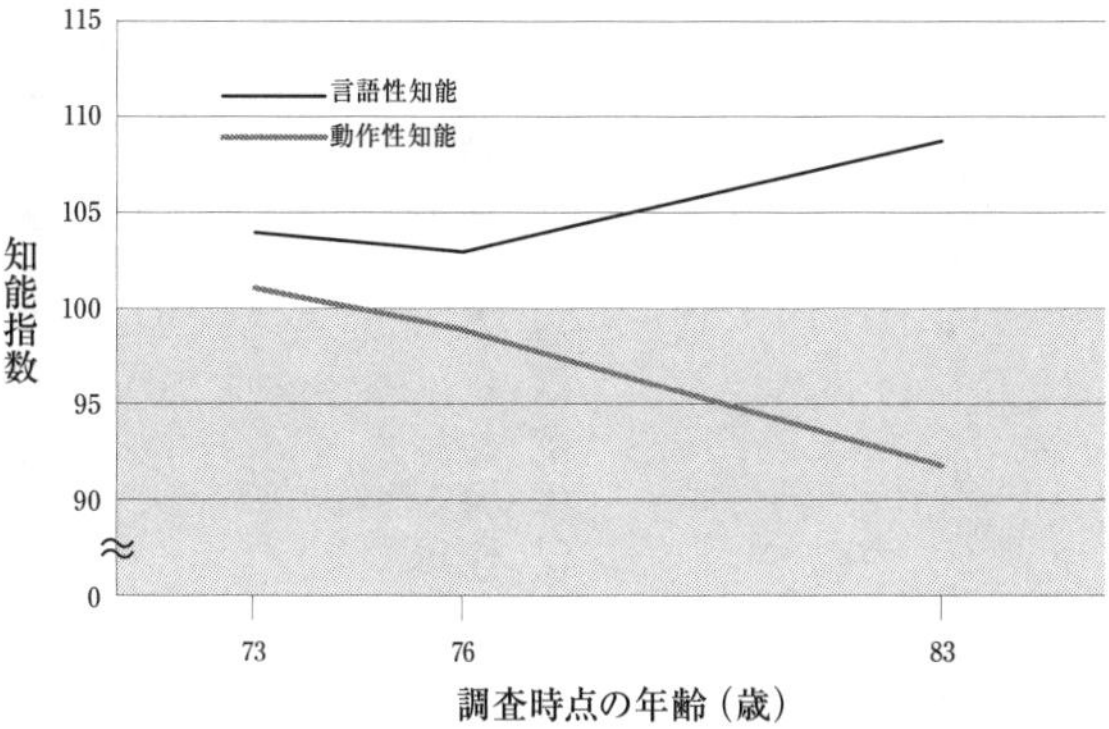


（財団法人東京都老人総合研究所プロジェクト研究「老化と寿命に関する長期的横断的追跡研究報告」より）

これは、一九八〇年代後半、小金井市に住む七〇代の高齢者三〇〇人を選び、WAIS成人知能検査を行い、三年間の追跡調査をしたもの。

知能の因子構造については言語性知能、動作性知能、言語的記憶、図形的記憶の四因子が示され、いずれも、三年後も落ちなかった。

上のグラフにあるように、一般に動作性知能は年齢によって低下していくことが認められているが、逆に言語性知能については、歳をとっても維持されるのである。

つまり、六〇代は、知能という点では、四、五〇代とさほど変わらない。歳をとったからといって、頭が使えないとか歩けなくなるわけではない。

問題は、頭を使うのが億劫になったり、歩くのが億劫になったりすることなのだ。

五〇歳からの勉強を考えるときに、最初に知っておかなければならないのは、この意欲の問題である。意欲をどう維持するかが、最大の課題となる。

## 前頭葉の老化と男性ホルモンの低下により、五〇代から意欲は低下しはじめる

一般に、五〇代半ばあたりから意欲が低下しがちになる。これは、前述のとおり前頭葉の老化と、男性ホルモンの分泌量の低下がその主な要因だ。これらは、個人差はあるものの、四〇代後半から始まる。

特に、**男性ホルモンの低下は、ダイレクトに意欲に影響する。**

代表的な男性ホルモンであるテストステロンは、もともと、意欲や気力、攻撃性、好奇心と密接な関係を持つホルモンだからだ。

年齢による性ホルモン分泌量の変化

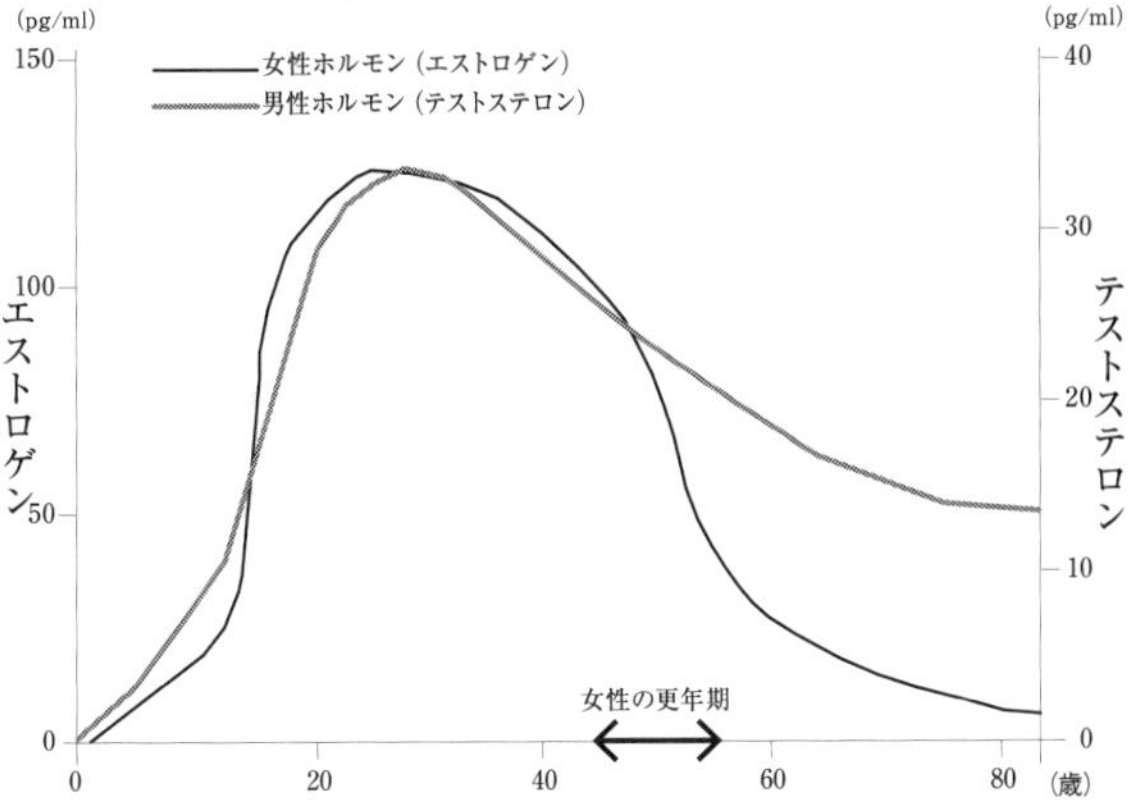


日本産科婦人科学会監修「HUMAN+女と男のディクショナリー」（https://saas.actibookone.com/content/detail?param=eyJjb250ZW50TnVtIjoiMjgwOTEifQ==&detailFlg=1&pNo=118）より

一方、前頭葉には、次の二つの働きがあるとされる。

ひとつは、感情のコントロール。大脳辺縁系で生まれた怒りや不安などを、前頭葉が処理してくれる。もうひとつの働きは、意欲と創造性だ。

これに対し、計算や図形は頭頂葉、言語理解は側頭葉が担っているとされる。

早い話が、ＷＡＩＳの知能テストのうち、言語性ＩＱとされるものは側頭葉の機能を測るものであり、動作性ＩＱとされるものは、頭頂葉の機能を測っているわけだ。それらの働きは、六〇代になってもさほど低下しない。だから、知能は低下しないのである。

結果的に前頭葉の機能が明らかになったのは、いまから遡ること八〇年ぐらい前、エガス・モニスというポルトガルの医者がロボトミーという手術を発明したことによる。

当時、治療法がなかった重度の統合失調症患者に対して、前頭葉を脳のその他の部分と切り離す手術を行ったところ、それにより主要な症状であった凶暴性がなくなったのだ。しかし、それ以上に驚かれたのは、前頭葉の一部を切り取っても知能検査の点数は一点も落ちなかったことだった。

この時点で、前頭葉は通常の知能を司るものではないので、一部を切り取っても問題ないと考えられるようになった。そして、知能を落とさず凶暴性だけをコントロールできる、このロボトミー手術の発明によってモニスはノーベル医学・生理学賞を受賞した。

ところがその後、その手術を受けた人間が、ひどい意欲低下に陥ったり、感情のコントロールが悪くなったりしたことから、手術をした医師たちが恨まれ、殺される事件が何件か起こった。モニス自身も銃撃され、脊髄損傷で車いす生活を余儀なくされる。

ダニエル・ゴールマンの『EQ―こころの知能指数』の冒頭で紹介されている、事故で前頭葉の部分を損なった弁護士のケースもそうだ。かれの場合も、損傷した前頭葉の一部分を切除する手術を受け、手術は大成功、知能テストの点数も同じく一点も落ちなかった。ところが、感情のコントロールができない、意欲が続かないということで、結局、社会的には廃人同様となってしまったというのだ。

このように、前頭葉を他の部分と切り離したり、一部を切り取ったりすることで、意欲低下や感情のコントロールの障害が起こるケースは、その後も脳腫瘍などの術後のケースでも、数々報告された。こうして、結果的に前頭葉の機能が解明されてきたというわけだ。

いまでは、ピック病（現在は前頭側頭認知症の一部とされる）という前頭葉が強く萎縮する認知症では、やはり人格変化や情性欠如、感情や衝動のコントロール不良のほか、同じことを繰り返してしまう常同行為が問題になっている。

また、前頭葉に重症の脳腫瘍や脳出血があると、「保続」という症状が出ることも知られるようになってきている。

たとえば本日は何月何日と聞かれて、正答できるなら記憶力や見当識にはほとんど問題がない。ところが保続があると、生年月日を聞かれても同じ日を答えてしまう。

３１７＋７８５＝１１０２と暗算で答えられたら、計算力を含め、知能は保たれていると考えていいが、次に、２４３＋４５２という問いにも１１０２と答えてしまうのだ。

ここまで極端な保続はないにせよ、前頭葉の機能が落ちると、ある考えから別の考えにスイッチすることや、ある感情状態から別の感情状態にスイッチすることが困難になると考えられる。

こうして、意欲や感情のコントロール、考えの切り替え、そしておそらくは創造性などを前頭葉が司っていると考えられている。

## 男性ホルモン低下による意欲の低下を防ぐには？

四〇代から六〇代というのは、この**前頭葉の萎縮と、男性ホルモンの分泌量の低下というダブルパンチで、意欲が低下する年代**だ。さらに、ここに、前頭葉の機能低下で感情のコントロールができない、クリエイティビティもなくなっている、となると、まさにやっかいな中高年、老人の典型的症状だ。

しかし、老化だからしかたない、とあきらめるのは早い。前頭葉の機能を保ち続けるための方法も、男性ホルモンの低下を補う方法もちゃんとある。

男性ホルモンについては、欧米では、ＨＲＴ（ホルモン補充療法）を受けるのが一般的だ。飲み薬、注射、貼り薬など方法はいろいろ。ヨーロッパの多くの国では（日本もＬ

OH症候群＝加齢性腺機能低下症という診断名がつけば）保険適用である。女性ホルモンのHRTのほうがより一般的（欧米では更年期の女性の三～五割が受けるとのことだ）だが（こちらも日本でも、基本、更年期障害では保険適用である）、いずれも日本では、ほとんど普及していない。副作用が心配されるからだ。

たしかに、たとえば女性ホルモンの場合、五年以上継続して服用すると、乳ガンになる確率が若干上がることが計測されている。といっても、受けなければ〇・三％が、受けると〇・四％になる程度だ。これをして、どちらを選ぶかは、まさに個人の選択だ。

## 前頭葉の老化防止には、前頭葉を使う生活をすること

前頭葉の老化防止については、前述の東北大の川島隆太先生が任天堂のDS上で開発した「脳トレ」が有名だ。ファンクショナルMRIという画像診断によって、計算と音読が前頭葉の血流を増やすことがわかったことによる。ただし、血流が増えるこ

とによって、本当に前頭葉の老化防止になっているのかについて検証されているわけではない。

機能が衰えたところを回復させるには、その部分を使う、というのが基本である。たとえば、足が衰えてきたら足を使う、読書力が衰えてきたら読書をする。逆に言うと、歳をとると使わないでいると、あっという間に機能は低下する。

そして、若いころと歳をとってからとで、もっとも差が出るのが、**使わなかったときの衰え方、そして、回復に要する時間**だ。たとえば、スキーで骨折して一ヵ月間、寝たきりだったとしても、若い人なら、翌日には自然に歩ける。ところが、歳をとると、スキーどころか風邪を引いて一ヵ月寝ているだけで、歩けなくなってしまう人が少なくない。

同様に、前頭葉も、使わないでいると、あっという間に衰える。

## 敵はルーティンなこと、味方は想定外のこと！

では、前頭葉を使わない生活とは、どういう生活かというと、要するに、同じことの繰り返しだ。ルーティンなことばかりやっている生活。前例や経験則、ルールに従っているだけの生活。創造性を発揮することのない生活だ。

先に、定年後起業を考えている場合、五〇歳ぐらいからの準備が必要だという話をしたが、その最大の準備は、資金でもなければ人脈でもない、前頭葉を活発にしておく、ということだといっても言いすぎではない。

会社での仕事がルーティンワークになってしまっている限り、仕事がそこそこできて、そこそこ出世していたとしても、いざ、起業しようと思ったときに、前頭葉が働かない。創造性もなければ、そもそも意欲が湧いてこない。

株式投資でもなんでもいいから、想定外のことが起こりそうなことを、四、五〇代のうちに、意識的に行っている必要があるだろう。

五〇代に限らず、四〇代でも、なんでも規則どおり、前例どおり、計画どおりに進めないと気がすまないタイプの人は、特に気をつけたほうがよい。小説家などの芸術家(?)でも、若いころの成功体験に縛られて、同じことを繰り返そうとするとしたら、同様だ。知らないうちに、変化を恐れる保守的人間になってしまうし、創造性がどんどん衰えていく。

## 恋愛がいちばんのクスリ!?

想定外のことが起こることと言えば、その筆頭は恋愛かもしれない。

性ホルモンの分泌も増やすから、生理的な老化防止には、恋愛こそがいちばんのクスリ、老化予防にはもっともいいのだが、社会的には難しいし、実際に、夫や妻の浮気から離婚騒動となって、メンタルヘルスという点では逆効果、ということになるかもしれない。

でも、自分自身が異性にときめく気持ちを封印したり、配偶者がほかの異性と夕食に行ったり飲みに行ったりする程度のことで目くじらを立てたり、ましてや、他人のそういう行動を、不倫だとか不謹慎だなどといって非難しているようでは、前頭葉は老化する一方だ。

いずれにしろ、現在の結婚制度、社会通念、倫理規範は、これほどの超高齢社会を想定して生まれてきたものではなかった。そろそろ変わっていくころかもしれない。

子育てという夫婦の共同作業が終わった後も三〇年は残る人生をともに生きるパートナーとして、いまの配偶者がふさわしいのかを再確認する、そして、そうでない場合は、パートナー・チェンジすることが当たり前の時代が来ないとは限らない。

## 2 何を動機づけとしたらいいのか？

### 誰も目標を与えてくれない

五〇歳からの勉強を妨げるもうひとつの大きな要因としてあげておきたいのは、やはり、「動機の欠如」だろう。

いまの仕事や社会的地位にそれなりに満足している場合はもちろん、まあ、こんなものだろう、と、半ばあきらめている人の場合も、いまさら何を目指したところで、といった心境になりがちだ。まずは、出世したら、お金持ちになったら、人生変わるかもしれない、というのが、必ずしもそうではないらしい、ということも悟りつつある。

子どものころなら、「受験」「就職」、若いころなら、「結婚」「出世」「資産形成」「資格取得」「転職」「独立」と、明確な目標があり、それに向けて勉強すればよかった。ほとんど自動的に与えられる目標があり、それがそのまま、動機づけになった。

しかし、五〇歳からの勉強となると、自分で目標を設定し、自分で自分を動機づけしていかなければならない。

では、どんなことがわたしたちの目標となり得るのか？ どんなことだったら、自分で自分を動機づけできるのか？

具体的な目標をあげる前に、そもそも「動機づけ」とは何か？ その理論をご紹介することから始めよう。

## 動機づけ理論の始まり

動機づけというのが、心理学の一環として、盛んに研究される対象となったのは、二〇世紀の半ば以降、アメリカでのことである。

一九六〇年代まで、動機づけといったら、アメとムチしかなかった。ご褒美か罰。昇級かクビ。そこに、ハーロウという心理学者が、サルが知恵の輪をやっているのを偶然見つけて、「餌をやらなくても、サルも知恵の輪をやる」ということで、サルにも「好奇心」があることを「発見」した。ハーロウが偉かったのは、そこにとどまらなかったことで、知恵の輪のできたサルにバナナを与えてみた。すると、どうなったか？

サルは、バナナがもらえないと知恵の輪をやらなくなってしまったのだ。つまり、好奇心でやっていたことが、報酬を得た瞬間に、「労働」に変わってしまったわけだ。

かくして、**好きで勉強をしている者に下手に賞罰を付けると、勉強が労働と化してしまう、**それがハーロウの理論となった。

続いて、ハーロウの弟子のエドワード・デシが、大学生に対して同じような実験を行った。まず、大学生がハマるような面白いパズルをやらせる。学生たちが夢中になり、ブームになったあたりで、できたら一ドルあげるようにする。すると、それまでのように休み時間にも没頭してやるようなことはなくなってしまったのだ。

このように人間には自然な好奇心や向上心があるから、外的な賞罰を与えなくても、それを引き出すことができる、大事なのはそれを阻害しないことだという「内発的動機づけ理論」は、一気に広まり、一九六〇年代後半からアメリカでは、テストの点数を貼り出すなどの賞罰を付ける教育や詰め込み式の教育を廃し、できるだけ子どもの自発性に任せた教育を行うべきだという声が主流となっていった。

日本の「ゆとり教育」推進の背景に、このアメリカ式の理想主義的な学校教育に対する教育関係者の憧憬があったことは否めないだろう。しかし、日本でゆとり教育が導入されるころ、アメリカではとうの昔に、その教育改革の失敗が明らかになっていた。

一九八一年、時のレーガン大統領が、全米の学力低下を問題にし、教育調査を実施させたところ、五人に一人がまともに読み書きもできなかったのだ。

で、やはり人間には賞罰が必要だということで、アメリカの学校教育は、いわばゆとり教育以前の日本の学校に近いものに「改革」されていく。さらに、その風潮は産業界にも拡がって、規制を緩和して、競争の勝者と敗者に格差をつけるというレーガノミックスとあいまって、一九八〇年代後半にはすでに過激なほどの成果主義となっていくわけだ。

## 内発的動機づけ理論の失敗と発展

というわけで、一九七〇年代の学校教育がその後、アメリカで顧みられることはなくなっていたのだが、では、本当に、このアメリカ版ゆとり教育はまったくダメなものだったのだろうか？

実はいま、再び光が当てられつつあるのである。というのも、現在もアメリカを世界一の大国たらしめている、さまざまなＩＴの技術、企業は、その時代に教育を受けた人々が創り出し、創業してきたものだからだ。

アメリカ版ゆとり教育を牽引した教育心理学者たちが、その間の子どもたちの学力低下をもって激しく非難されたとき、かれらは、次のように総括した。

「もともと好奇心のある人や向学心のある人に関しては、賞罰は付けないほうがいい。しかし、向学心のない人は、賞罰を付けないとやらない。そして、もともと向学心のある人は、思った以上に少なかった」

その弁明で理解を得られたかどうかはともかく、もともと向学心のある人というのは、全体のごくわずかなので、残りの大多数には従来どおりのアメとムチを用いるほうが効果的だということで落ち着いたわけだが、ＩＴ革命を起こしたのは、その少数の、もともとやる気のある人間だった可能性が高い。

ついでに言うと、日本の場合は、一般大衆が受ける義務教育（当然、もともとやる気のある人や向学心がある人は少ない）にゆとり教育などという形で学力低下を引き起こしているだけでなく、本来は向学心のある人間が集まる大学教育で逆に、教授権力が強すぎて、自然な好奇心を発揮することが困難だという問題がほとんど解決されていない。研究が好きで教授になる人より、出世欲という外発的な動機で教授になる人が多いから、そもそも改革の必要性を教授たち自身が感じていないからなのかもしれない。

さて、ハーロウから始まった内発的動機づけ理論そのものは、その後、発展を遂げ、現在では、たとえば、「成長が目に見えると、人は（賞罰とは関係なく）やる気になる」ということが認められるなど、多くの成果をあげている。

陰山英男先生の「百ます計算」など、「成長が目に見えるとやる気になる」のいい例だ。昨日、一分一三秒だったのが今日は一分八秒でできた、となると、次は一分を切ろう！　と、やる気が出てくる。

この場合、三分だった子に、いきなり一分を切ろう！　と言っても逆効果だろう。六〇点の子どもに、一〇〇点とったらヨーロッパ旅行に行けるよ、と言っても「無理、無理、そんなの」だけれども、六五点とったら「ポケモンGO」なら、やるかもしれない。

ほかにも、手本を目に見える形で見せると、やる気になる人もいる。手品師に手品を見せられても真似をする子はいないけれど、種明かしを見せてくれると、真似をする子が出てくる。わたしが書いた大学受験の勉強法の本など、まさに同じ原理だ。

つまり、たしかに、いくつかの動機づけの方法がある。もともと向学心のある子には、内発的な動機づけが望ましく、ない子にはアメとムチが重要であるように、何によって動機づけされるかは、人によって異なるのだから、いろいろな方法を知っておくに越したことはない、ということだ。

## 何が社会人の動機づけになるのか？

わたしが、有名な心理学者やMBAホルダーの人たちと心理学ビジネスのシンクタンクをやっていた当時、何が社会人の動機づけになるのかを研究したことがある。

その結論として、外発的なアメとムチを除いて、大きくは次の三つを考えた。

もともと、上司が部下のやる気を高めるための「モティベーション・マネジメント」として考案したもの（三つの法則・九つの原理）だが、自分自身について振り返るときにも役に立つと思うのでご紹介しておく。

**①希望の法則**
**②充実の法則**
**③関係の法則**

それぞれについて、もう少し詳しく見てみよう。

①希望の法則

1　頑張ればうまくいく
2　十分にやれそうだ
3　何をどうすればいいかわかる

②充実の法則
4　面白い、確実に成長している
5　自分で決めたことだから頑張る
6　期待されている
③関係の法則
7　安心できる
8　関心を持たれている
9　一体感がある

ここで、注目したいのは、③の「関係の法則」だ。人が会社を辞める、あるいはとどまる大きな理由のひとつが人間関係、あるいは、そこで自分が十分に認められているか、将来も認められるだろうか、ということであるのは、よく知られている。これは、長く社会人をやっている方にはよくおわかりだと思う。

ときに、仕事そのもの、勉強そのものよりも、その過程で、あるいは、それを修得した結果得られる、自分にとって望ましい「人との関係」が最大の動機であり、報酬であることは少なくない。

アメリカ流の成果主義が盛んに取り入れられたころ、終身雇用や年功序列、家族的経営は、人々のやる気をそぐということでやり玉にあげられたが、それを導入してかえって生産性や品質が落ちた会社は少なくない。仲間意識や会社への忠誠心で働く日本人には、これが意外に大きな動機だったということだろう。

特に、何もしないでいると社会に居場所のなくなる定年後の生活にとって、「人との関係」自体が報酬になることの意味は大きい。

## 自分に合った動機づけを探すことから始めよう

このように、五〇歳から勉強を始めよう、といっても、何によってやる気が出るのかは、人それぞれだ。だから、まずは、**自分に合った動機づけを探す**、これが重要だ。

資格をとって定年後の生活を安定させたいのか、あるいは、若いころからやりたかった芸術的なことを始めたいのか、あるいは、大学院に行って、そこで若い人といっしょに勉強することそのものを楽しみたいのか、あるいは、物知りになって人気者になりたいのか。

動機はなんでもいい。始めてしまえば、そして、その成果が少しずつ目に見えるように工夫すれば、あとは、勉強そのもの、成長そのものが動機づけになる。また、勉強していく過程で、自分がそれまで知らなかった世界を知ることにより、新たな目標や動機が出てくることも少なくないだろう。

## 3 うつや将来不安にどう対応するか？

五〇歳からの勉強を妨げる要因として無視できないものに、「うつ」がある。じつは、この年代の人は、うつになりやすい。

女性はもちろん男性も、いわゆる更年期障害が始まり、ホルモンバランスが崩れ、また、体力の低下や老化現象を実感するころであるのに加え、仕事でも私生活でも、さまざまな面で変化が訪れる時期。現役の人生が残り少ないことに気づき、ある人は悔やみ、ある人は、自分の健康や将来の生活に不安を感じるからかもしれない。

さらに、老化による免疫機能の衰えも影響する。

最近の精神神経免疫学の考え方では、精神状態と免疫機能の相関関係が注目されている。

一般に免疫機能は不快な体験によって低下し、快い体験によって活性化するとされているが、逆に免疫機能が落ちるとうつになりやすく、免疫機能が高いと精神状態も良好でいやすいことがわかってきた。

風邪などで免疫機能が下がっているときは、このまま治らないのではないかと根拠のない不安に襲われたり、人がいないと不安になりやすかったり、気分が落ち込んで食事ものどを通らない、何を食べてもおいしくない、とうつ病のようになったりするのはこのためなのだろう。

若い人にうつ病が少ないのは、不快なことがあって免疫機能が落ちてもまだ余裕があるからだ。それが、中高年以降は、不快なことが続くと免疫機能の限界を超え、うつになりやすい。それだけでなく、免疫機能が落ちるとガンをはじめ、さまざまな病気になりやすくなってしまうのだ。

## うつを予防する二つの方法

しかし、こうした「うつ」は予防できる。

予防法は、二つに大別される。

ひとつは、**食生活と日光、日にあたること**である。ともに、セロトニンを増やしていくことが目的だ。

セロトニンというのは、脳内の神経伝達物質で、うつ病の人の脳の中では、これが減っていることが認められている（抗うつ薬は、脳の神経細胞と神経細胞のつなぎ目である、シナプスで、このセロトニンやノルアドレナリンの量を増やし、脳の活動を活発にして、症状を改善しようとするもの）。

では、どういう食事がいいかというと、要するに、タンパク質だ。粗食がいい、というのは迷信で、八〇歳を過ぎてもかくしゃくとしている経営者、芸術家、医者など、ステーキやハンバーグ、すき焼きなどを若い人以上に平らげたりする。

セロトニンは、トリプトファンという必須アミノ酸からつくられるため、そのアミノ酸を含む良質なタンパク質を摂取できるようなメニューが、うつの予防になるのである。

具体的には、肉類、魚介類、乳製品、大豆製品だ。

## 「かくあるべし思考」を改める、認知療法と森田療法

うつを予防するもうひとつの方法は、ものの考え方、見方を変えていくこと。それによって、不快な体験を減らし、快い体験を増やしていくことだ。そもそも快不快は主観的なものなので、ものの見方を変えることができれば、不快な状況にいても、快と思うことさえできるはずなのだ。

どういうものの見方、考え方がうつになりやすいのか？　というと、ひとことで言えば、「かくあるべし思考」だ。二分割思考と完全主義や理想主義が組み合わさったもの、と言ったほうがいいかもしれない。白か黒か、敵か味方か。

二分割思考の人は、自分の味方だと思っていた人が、ちょっと自分の意見に対する批判を口にしただけで、もう敵になってしまった、と考える。完全主義や理想主義の人は、ちょっとうまくいかない日が続くと、「もうだめだ」。それが少し上向いても、

「まだまだ」だ……。どちらの人も、味方というのは常に味方でなければいけない、体調や業績は常に好調でないといけないという「かくあるべし」思考がベースにあるから、それから外れると不安になったり、落ち込んだりする。

こうしたものの見方を、臨床心理学や精神医学のなかでも認知療法といわれる学派の人たちは、「不適合思考」と呼び、それを変えていく方向へ導こうとする。

一方、森田療法では、関心の的を別のところに向けさせようとする。いま起こっている症状ばかり考えているから、よけいに具合が悪くなるんだ、という考え方だ。

たとえば、胸がドキドキするのを気にすると、よけいに胸がドキドキする。歯が痛いのを気にすると、よけいに歯が痛くなる。だから、それを気にしなくすればいいのだが、現にいま痛がっている人に、気にするな、と言っても無理な話だから、その代わりに、ほかに集中できるものを探させる、というわけだ。

## 「別の道もあるさ」という考え方

とはいえ、認知療法も森田療法も、ある考え方や事態がよくない、という前提から成り立っている点では共通している。これらに対し、まったく別の対応法もある。

たとえば、顔が赤くなることを気にして、人とうまくつき合えないでいるとしたら、その赤面症を治そうとするのではなく、赤面症を治さなくても人に好かれるようになる方法を探そうよ、ということである。

開成・東大・財務官僚のようなエリートが、ちょっとしたことで挫折して、たとえば週刊誌でたたかれたりした挙げ句にひっそりと自殺することがある。一方で、同じことがあっても、それを機会に官僚を辞め、政治家になったり、大学の教授になったりする人もいる。川柳とか陶芸とか、趣味の世界に生きて、それなりにうまくいっている人もいるかもしれない。要するに、挫折したから自殺したのでなく、「**別の道もあるさ**」という考え方が持てなかったから自殺したというのが、認知療法や森田療法の考え方といえる。

いずれにせよ、このように「かくあるべし」から、目的を大切にしつつ（たとえば幸せになりたいとか、人に好かれたいというような）、道はいくつもあると考えられるようにするのが、認知療法や森田療法の主眼点である。

## 勉強によって拡がる、別の世界と別の道

五〇歳からの勉強は、二つの意味で、この「別の道もあるさ」「道はいくつもあるさ」のためのものだといえる。

ひとつは、自分がいま生きている世界以外でも生きられるようにするため。

もうひとつは、その別の道そのものを探すため。

勉強していると、それまでは知らなかったほかの道というのが、いろいろと見えてくるものなのである。勉強していないと、「この道しかない」と思い込んでしまう。それしか知らないからである。

わたしの知人で、東京銀行のエリートだったのが、三菱との合併の際に早期退職し

て、宅建の資格をとりながら、安い物件を買いまくり、自分が宅建の資格をとって始めた不動産屋で借り手を見つけたり、さらに安い家賃の貸し事務所があると、それを自習室にして、ローコストで最大の収入を得ようとする、ニッチだがちょっと面白い不動産業をやっている人がいる。

外から見たら、さほど奇抜なことではないかもしれないが、一流の都市銀行に行くようなエリートの場合、プライドや見栄があって、その程度のことでもなかなかできない。けれども、それらを捨ててしまえば、思いのほか、世界は拡がるものだ。

五〇を過ぎてから、本当に別の道に進むかどうかは別のことだ。**「他の道もあるさ」と思えるそのこと自体が、うつや将来不安の予防になる**のである。

なお、たびたび書くと、顰蹙を買いそうだが、免疫機能を活性化させる快体験としても、恋愛はよさそうである。これもビジネスとか金儲け以外に幸せを見つける別の道といえるし、また歳をとるほど教養などがもてるポイントになるから、勉強のモティベーションにもなる。

## 4 スキーマから脱出し、思考の柔軟性をいかに手に入れるか？

### 「決めつけ思考」が勉強への意欲を妨げる

年齢とともに失われがちなものに、思考の柔軟性がある。やはり、歳をとればとるほど、決めつけをしたくなる。こういう顔の人はたいていこういう人だ、こういう話し方をする人は性格が悪い、信用できない、といった具合だ。なまじ人生経験が長いだけに、たいていのことはすでに経験済み、ということで、昔のひとつかふたつの経験から判断しようとする。

ほかにも、男は権力争いにあけくれるものだ、日本の女性の政治家にはろくな者がいない、五〇を過ぎるとみな頭が固くなる、民主党政権時代の日本は最悪だった、アベノミクスのおかげで景気がよくなった等々、事実がどうであったかにかかわりなく、世の中を決めつけて見るようになる。

こういう思考にはまってしまうと、なかなか勉強は難しい。始めたとしても、そもそも自分が知らないことに対する真摯な興味関心が薄れているわけだから、なかなか続かない。

しかし、たとえば、民主党政権時代は最悪だったというのなら、具体的には何がどうなっていたのか？ と尋ねると、ろくに答えられない人がほとんどだ。実際、特に悪かったことは少ない。次の安倍内閣に引き継がれた政策も思いのほか多い。

たとえば財源もないのに子ども手当を出そうとしたばらまきのようなことを言う人がいるが、その前に土建事業にばらまきをやり、金持ちに減税して数百兆の借金をつくったのは自民党政権時代だ。民主党政権になってから景気が悪くなったと言う人がいるが、民主党が政権を引き継いだときの自民党政権時代のほうが失業率が高かった。

しかし、決めつけの強い人には、そんなことを言っても無駄である。自分の面目

（こういうものが典型的な「かくあるべし思考」の産物なのだが）をかけて（！）、自説を守ろうとするからだ。

だから、決めつけから脱出するには、**自分の意見とは異なる意見に耳を傾けること、**つまり、そういう意見を持つ人と積極的に会ったり、**あえて自分とは反対の意見を述べている著者の本を読んだりすべき**なのだが、たいていの場合は、自分と意見を同じくする人と意気投合するために会うし、自分と同じスタンスの人の本を自説を確認するために読む。

北朝鮮が嫌いな人は、北朝鮮の悪口の書いてある本を、左翼が嫌いな人は左翼が嫌いな人の本を、保守論陣が嫌いな人は左翼的な本を、放射線が嫌いな人は放射線が身体に悪いと主張する人の本を読む。

本というのは、本当は、自分の知らなかった多様な視点、情報を得るためにこそ読むべきものなのだが、自分がもともと思っていることを確かめるために読む。そういう人がさらにまた最近、増えてきているように感じるが、いかがだろうか？

## 「スキーマ」の功罪

「決めつけ」というのは、スキーマの一種だともいえる。スキーマというのは、思考をショートカットするためのもので、たとえば脚が六本ある変な生き物を見たら昆虫だと思う、というように、情報を効率よくとらえるためにとる認知の形態だ。

実際、それがあるから、物事を赤ん坊のように一から把握しなくてもすむわけだし、通常、初等中等教育というのは、知識や解法などのスキーマを身に着けさせるものだ（大学以降の高等教育は本来は、スキーマを疑う教育も必要なのだが、日本ではそれが乏しい）。

一方で、スキーマに頼りすぎると、頭を使わなくなる。逆に言えば、考え無精の人ほど、スキーマを使う。

たとえば、新しい人に会ったら、まず血液型を聞く。A型だとすると、A型は時間に正確だというスキーマのもと、その人もまた時間に正確なはずだと判断する。仮にその人が、たしかに時間には正確だけれど、あとはずぼらで整理整頓ができないタイプだったとしても、時間に正確なことだけを記憶する、といった具合に、自分のスキーマに合わせて相手を見るようになるわけだ。

そして、もし、その人が時間も守らないいい加減なヤツだったとしたら、今度は、あいつはA型としては例外だ、となる。

あるいは、東大出は性格が悪い、というスキーマを持っている人がいるとする。ところが、飲み屋でたまたま出会って意気投合した男が東大出だった。すると、「お前は東大出なのに、性格がいいな」となる。さらにまた、別の飲み屋でやっぱり意気投合した男が東大出だった。すると「俺は運がいい。東大出とは二人しか出会っていないのに、たまたま両方とも性格がいい例外的な男だった」となる。不思議なことに、やはり、**スキーマ自体を変えることはない**わけだ。

やはり、スキーマを変えようとはしないわけである。

## スキーマを変えることの難しさ

スキーマを変えるには、それに当てはまらない事例をできるだけたくさん体験することなのだが、このようにいったんできあがってしまったスキーマは容易なことでは変わらない。そして、このスキーマこそ、勉強の妨げとなる。新しい情報や視点の獲得を妨げるだけでなく、そもそも新しいことを学ぼうという意欲を低下させるものだからである。

すでにわたしは、たいていのことがわかっている、なんでいまさら勉強なんてしなくちゃいけないんだ？　というわけである。

さらに言えば、もし新しい事実に衝撃を受けてしまって、これまで築いてきたスキーマを一からつくり直さなければならないことになるとしたら、たいへんだからである。自分自身のアイデンティティの危機ともなるかもしれない！

それ以上に、歴史的に日本人のなかで受け継がれているスキーマもある。実際、日本人の持っているスキーマの多くは、昭和一〇年代につくられたと言われている。たとえば、「贅沢は敵だ」。しかし、軍部が強くなって、そういうことを言い出す前の日本、とくに大正ロマン、大正デモクラシーの時代は、日本はいい意味で贅沢に憧れる情感ある国だった気がする。皇室も、のちに戦後、日本人が憧れた英国王室よりもずっと開かれ、国民に慕われていたように思う。

たとえば、大正天皇が教育勅語の紙を丸めて望遠鏡にするような人だったということが言い伝えられている。この真偽を疑う声がいまでは強い（実は大正天皇は非常な人格者だったという説がある）が、それ以上に重要なのは、そういうことを当時の庶民が平気で口にすることができたことだ。

戦前というと何かにつけ、不敬罪で捕まったような独裁主義国のイメージがあるが、少なくとも大正時代はそうでなかった。また贅沢とか高等遊民へのあこがれも強かった。しかし、いまでも日本人の戦前に対するスキーマはまず変わらないし、贅沢は敵だという思い込みはいまでも続いている。

いずれにしろ、日本人が共有するスキーマを変えるのは、個人が一朝一夕にできることではないだろう。

## 答えを得るためではなく、
## 多様な答えがあることを知るためにこそ、勉強する

というわけで、容易なことではないが、やはり、スキーマからも、決めつけからも、脱出しなければならない。いまから、柔軟な頭を取り戻さなければならない。

そのためにどうするか？

まずは、**自分と意見が異なる人の本を読むことだ。**

どちらかと言えば自分は右寄りだと思う人は、『世界』を読む。左寄りだと思っている人は『正論』を読む。いずれの人も、読むうちに腹が立ってくるだろうが、少なくとも、発想の幅は拡がるはずだ。

意図的に、何かの事象についての超悲観論の持ち主と、超楽観論の持ち主の双方に会う、という手もある。

かつて「ミスター円」との異名もとった榊原英資さんは、アメリカに行くたびに、

もっとも悲観的な経済論を言っている人と、もっとも楽観的なことを言っている人の双方に会うようにしているとおっしゃっていた。すると、たとえば、株価のレンジが最高いくら、最低いくらがわかる、為替のレンジも、ここからここまでというのがわかる、というのだ。

一般には、悲観論の人は悲観論の話しかしないし聞かない、楽観論の人は楽観論の話しかしないし聞かないものだが、国を預かる重大な決断を迫られる人にとっては、全体の振れ幅を知っておくことが絶対的に必要だろう。

ともあれ、決めつけもスキーマも、勉強を妨げる要因であると同時に、勉強はそれらを打破するためのものであるともいえる。

すなわち、わたしたちが何のために勉強するかというと、

**答えを求めるためではなく、**
**いろいろな答えがあることを知るためにこそ、勉強するのである。**

# 5 記憶力は本当に低下するのか？

## 覚える能力そのものは低下しない

わたしたちが老化を最初に感じるのは、人の名前がなかなか出てこない、あれとかこれ、といった代名詞を使うことが多くなったときではないだろうか。特に最近の芸能人の名前やＩＴ用語となると、すぐに忘れてしまうから、いまさら資格試験や外国語の学習など困難だと考える。

しかし、エビングハウスの忘却曲線で見る限り、六〇代と二〇代でも大差ないという話を日本における記憶研究の大家の池谷裕二先生から聞いたことがある。

エビングハウスの忘却曲線というのは、ドイツの心理学者だったエビングハウス氏

エビングハウスの忘却曲線

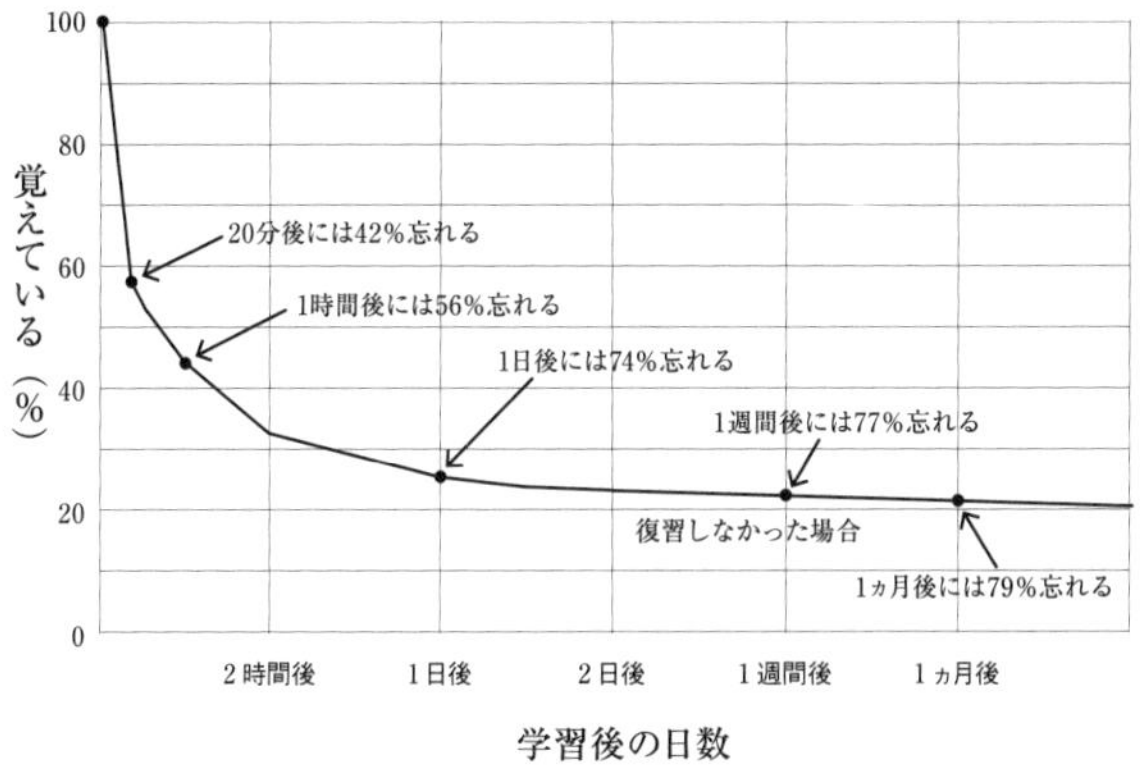


エビングハウスの忘却曲線と復習の関係

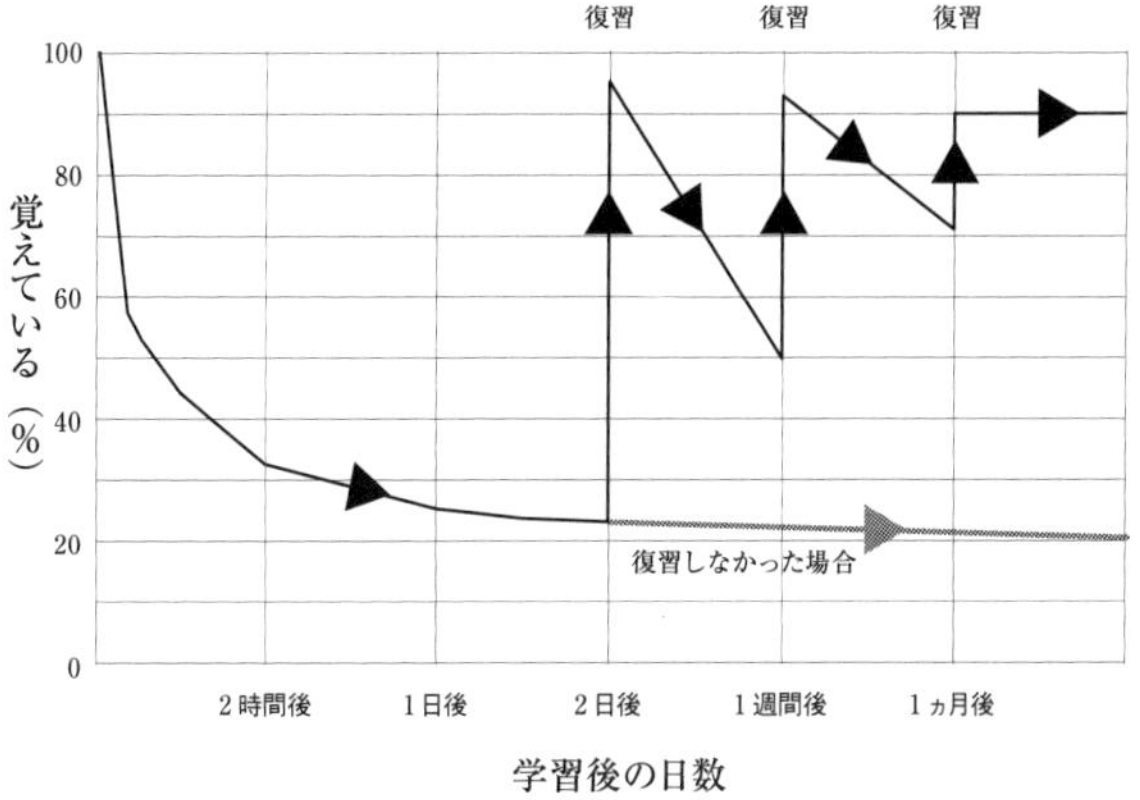

が無意味な言葉の丸暗記から見いだした「忘却は覚えた直後に急速に進む」という法則で、かれの実験によると、前ページの図のように、人は暗記した後、二〇分後には四二％を忘れ、一時間後には五六％を忘れ、一日後には七四％を忘れる。一週間後には七七％を忘れ、一ヵ月後には七九％を忘れるという。だから、一〇分後、一時間後、一日後と、忘れる前に間隔を空けて繰り返し復習することで、効率よく覚えられる、とされる。

## 記憶力低下は、意欲の低下と復習不足から

いくら、この忘却曲線そのものは年齢によって変わらない、といわれても、現実として、昔のようには覚えられない、確実に記憶力は落ちている、という人も多いはずだ。

それなら、エビングハウスの忘却曲線に沿った記憶法についてはどうだろうか？

わたしたちは学生時代、こんなふうに何度も復習して覚えてきたのではなかった

か？　はたして、いま、そこまで復習して物事を習得しようとしているだろうか？

要するに、**大人になると、記憶力が落ちるのは、学生のころのようには復習しなくなる**ということかもしれない。

さらに、中高年ともなると、ここまでに述べてきた意欲の問題が非常に大きい。必要のないこと、関心のないことには、そもそも復習してまで覚えようという意欲が湧かない。

わたし自身、どうせケータイに覚えさせてあるからと、最近は、電話番号を覚える意欲が湧かなくなって、いつまでたっても電話番号が覚えられない。携帯の持ちはじめの最初の五年間は、意地になってケータイに覚えさせなかったので、若いころと同じように百件以上は頭に入っていたものだが、いまではそもそも覚えようという態勢に頭が向かない。

ところが、ワインにまつわることとなると、話は別だ。ワインの話なら、銘柄や産地、どのビンテージがおいしいかなども含め、何年のなんというワインがパーカーポイントが何点というのを百個ぐらいは覚えている。関心があるからだ。

## 大人になると、単純記憶より意味の記憶のほうが得意になる

ただし、この場合も、「これはカベルネ・ソーヴィニヨンが六八パーセントで、メルローが二五パーセントで」とか、「これはボルドーの右岸のワインで」といったことより、たとえば、「ロマネコンティとペトリュスだったら、ロマネコンティがブルゴーニュの最高峰で、ペトリュスがボルドーの最高峰となっているけど、僕だったら、レストランで絶対にペトリュスを開けます。ロマネコンティっていうのは開く（おいしくなる）のに時間がかかりすぎるからです」といったことのほうを覚えている。

そのほうが聞く相手にとっても面白いだろうな、ということもあるが、それ以上に、細かな数字よりも意味がわかっていることが重要な、想起しやすい記憶だからだ。覚える数字も最低限にしている。

「パーカーはペトリュスのほうが好きで、何回も一〇〇点をつけているけど、ロマ

ネのほうは八五年の一度だけ一〇〇点をつけている。ペトリュスは一〇〇点の年より九九点の七五年が飲みごろということもあって、ずっとおいしいと思うけど」

これなら、いくつも数字を覚えているように見えて、八五年と七五年の二つのビンテージしか覚えなくてすむ。九九点というのは一〇〇点のおまけのようなものだからだ。

つまり、さほど復習しなくても覚えられるようにするには、**意味を考える**ことだ。**付帯的な知識もいっしょに覚えておく**といい。これを**エピソード記憶**という。単純な名前や言葉の記憶は苦手でも、エピソードやそれにまつわる知識なら覚えていられる。

そして、**とことん納得するまで理解する**ことだ。

丸暗記はやはり若い人に分があるとしても、**中高年は、理解力で勝負できる**。理解したことは、記憶というより自分自身の思想の一環となって、いつでも引き出せる状態にあるはずだ。

記憶の3ステップ

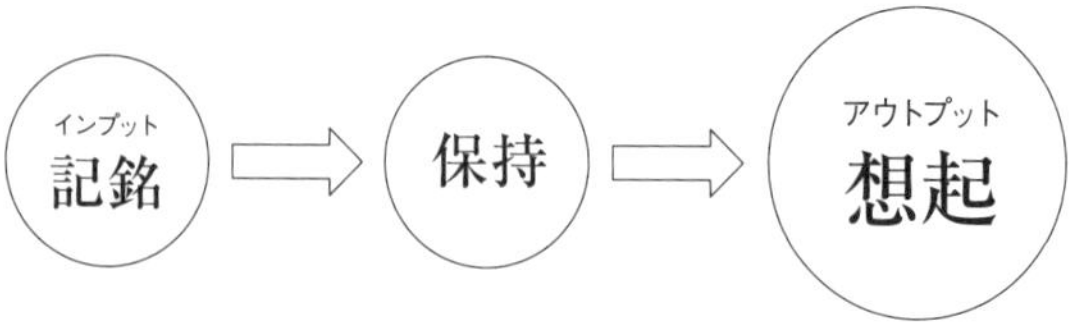


## アウトプットで、「想起力」を磨く

ここで、記憶力についてもう少しお話ししておくと、記憶力には、記銘力と保持力と想起力の三つの段階があり、記銘は情報を脳にインプットする力、保持は、記憶を長い間貯蔵する力、想起は、蓄えた記憶を引き出しアウトプットする力である。受験勉強のふだんの勉強では記銘力と保持力、テスト本番は想起力がおもに使われる。

そして、年齢とともに低下するのは、実は想起力のほうだ。だから、頭の中に概念はあるのだが、その具体的な名前が出てこなかったりするわけだ。

これにも復習が重要なのだが、それには、**実際にアウトプットしながら、記憶に定着させていく**方法が中高年にはもっともお勧めである。

ちょっと高級なホテルに行くと、チェックインの際にクレジットカードを出した瞬間から、名前で呼ばれるようになる。

「それでは、和田さま、本日はようこそおいでいただきました。和田さまの必要なことがありましたら、なんなりとお申しつけください。和田さまは明日は日経新聞でよろしかったでしょうか」といった具合だ。そして、次に行ったときには、「和田さま、お待ちしておりました」となる。これなど、とにかく口に出すことで記憶しているのだ。

**お礼のメールでは苗字だけでなくフルネームで、必ず、会社名、肩書きを添えて書く**ようにすること。これもまた、実際に使いながら、記憶していくテクニックである。

また、新しい人と出会ったら、覚えたばかりのこと、数字などをSNSなどの記事にしたり、知人とのおしゃべり、講演などでできるだけ使うようにする。使っているうちに、再び、記憶が定着する。**使うこと自体が復習になる**のだ。

## 五〇歳からの記憶法

というわけで、五〇歳からの記憶法についてまとめておく。大切なのは次の三つだ。

**①関心**

関心がなければ、覚える気にもならない。なんらかの目的がなければ、意欲が続かない。

**②使って復習**

大人になると、圧倒的に復習の量が減る。これを補うためには、覚えたことをできるだけ日常会話のなかで「使う」ことだ。すなわち、アウトプットしていくこと。アウトプットしながら、記憶に定着させていくのだ。

### ③覚えるより意味を理解

ランダムに並んでいるアルファベットを順に覚えるのはたいへんだろうが、それが何かを表す単語なら覚えられる。意味を理解するからである。きちんと意味を理解し、場合によっては、そのことにまつわるエピソードや関連知識も調べてみる。そして、誰かに話したり、ネット上で原稿にまとめてみたりすることだ。驚くほどよく覚えていられることがわかるだろう。

もう少し各論を加えつつ、一〇のコツにしてみると、次のようになる（さらに詳しく知りたい方は、拙書『40歳からの記憶術』（ディスカヴァー）をご覧いただきたい）。

**①インタレストを持つ**
**②覚えることを減らす**
**③覚えたい事柄について、納得するまで理解を深める**

**④覚えることは減らしても、それぞれについての付帯情報は増やし、想起のキューをちりばめておく**
**⑤既存の知識と関連づけ、知識を加工して覚える**
**⑥エピソード記憶にする**
**⑦感覚器や身体活動も含めたセットとして覚える**
**⑧効果的なアウトプットから逆算してインプットする**
**⑨十分な睡眠を心がけ、ベストな状態に自分を保つ**
**⑩何度も使う**

「使う」ということについては、書く・話すというアウトプットを行うことがもっともよいのだが、それは、後ほど詳しくお話しする。

ちなみに、アウトプットの機会を持つことは、五〇歳からの記憶法として非常に効果的なだけではなく、**そもそも記憶する目標にもなる。**そのほうが話が面白い人間にもなれる。

**目標を持つことで、関心の幅も拡がり、覚えたいことに対する理解も深まる**のである。

# 6　ＥＱをどう維持するか？

## 四〇歳を境にＥＱは低下する？

『ＥＱ』を書いたダニエル・ゴールマン氏によると、ＥＱ、すなわちEmotional Intelligence Quotient（＝心の知能指数と邦訳されている）は、四〇歳までは順調に伸びていくものの四〇歳を過ぎると、低下していくという。

**ＥＱというのは、自己や他人の感情を知覚し、また、自分の感情をコントロールする知的能力**だ。よい人間関係を持つには必須の知能だとも言える。

一般には、通常の知能であるＩＱは歳をとるごとに下がるが、ＥＱのほうは逆に歳を重ねて人間的に円熟味が増して上がってくると思われているかもしれないが、実際はその逆だった。**四〇歳を過ぎても、ＩＱはほとんど変わらないのに、ＥＱ、すなわち、人間関係を保つのに重要な知能は次第に低下していく**というのだ。

というより、たしかに四〇歳ぐらいまでは、だんだん穏やかに、円熟していくかもしれないが、それを過ぎると、逆にだんだん切れやすくなってしまうのである。

実際、切れる老人というのを最近よく見聞きする。これは、前頭葉の老化が原因なのだろうが、それ以外にも、おそらく、会社にいるうちは、ある程度の年齢になれば地位もそれなりに上がるので、周りが気を遣ってくれる結果、切れないでいられたのが、引退したとたんにそれらもなくなり、思いどおりにならない周囲の人々に欲求不満が増えていく、という面もあるのだろう。

**〈ＥＱの五大要素〉**

**①自分の感情を正確に知る**
**②自分の感情をコントロールできる**
**③楽観的に物事を考える、もしくは自己を動機づける**

**④相手の感情を知る**

**⑤社交能力、対人関係能力**

このように、EQの低下、特に感情のコントロール能力の低下は前頭葉の萎縮によるところが大きいのだが、あわせて、男性の場合は、男性ホルモンの分泌低下も影響している。**男性ホルモンの低下は、意欲の低下、異性への関心の低下だけでなく、同性の友人への興味の低下をもたらす**ことが認められているからだ。つまり、**人間関係そのものが億劫**になってしまう。

もともと男性よりコミュニケーション能力に優れるとされる女性が、更年期を過ぎると、ますます社交的になっていくのは、女性ホルモンが減少し、逆に男性ホルモンの分泌が増すことも大いに関連しているのであろう。

## 怒りのコントロールと「共感」を学ぶ

以上は、生理的なものなので、HRT（ホルモン補充療法）があるものの、やはり年齢には勝てない。重要なのは、歳をとると、感情のコントロールがきかなくなりやすいこと、相手と自分の感情に鈍感になりがちだということを、**あらかじめ知っておくこと**である。

そして、**意図的に、怒りのコントロールを心がける**、もし自分が相手の立場だったらどう感じるだろうかと考えるようにするのだ。アンガーマネジメントを学んでもいいだろう。これも立派な「勉強」である。

会社を辞めたとたん、自分では面倒を見てやっていたつもりの部下も寄りつかなくなるとしたら、それがその人のEQの現れだ。ほんとうに、部下に共感する能力を持っている上司なら、辞めたあとも慕ってくる後進がいることだろう。逆に言えば、そういう者のいない、かつてのお偉いさんほど、切れてしまうのかもしれない。

五〇代のうちから、EQを維持するよう意識して努めておくことが、引退後の豊かな人生にとっても重要なのである。

## この章のまとめ

①六〇代では知能は低下しない。課題は、前頭葉の老化と男性ホルモンの低下による意欲の低下により、勉強のモティベーションが維持しにくくなることにある。
②前頭葉の老化防止には想定外の出来事がいちばんの味方。
③自分に合った動機づけを探すことから始める。
④「かくあるべし思考」がうつと将来不安を招く。
⑤強すぎる「スキーマ」と「決めつけ思考」が勉強への意欲を妨げる。
⑥勉強の最大の目的は、答えを得ることではなく、多様な答えがあるのを知ること。
⑦勉強によって、別の世界と別の道が拡がる。
⑧記銘力は低下しないが、意欲の低下と復習不足から、保持力と想起力が衰える。
⑨単純記憶より意味の記憶で勝負する。
⑩覚えたことをすぐに使い、アウトプットするのが、大人の復習法。
⑪EQは四〇歳を境に低下する。怒りのコントロールと共感を、意識的に学ぶこと。

# 第3章

# 五〇歳からの勉強、何をどのように学ぶか？

## 1　知識人から思想家に

### 知識量ではなく、その知識に対する独自のとらえ方が問われる

学生時代から四〇代まで、わたしたちの勉強は、ほとんどすべてが知識のインプットだったと思う。もちろん、いくつになっても、常に新しい情報・知識に触れ、それを吸収していくことは重要だ。知識という材料があればこそ、新しい発想、新しい事業計画が生まれる。

しかし、第一章でお話ししたように、知識量そのものを競うのだったら、ＡＩに勝てない。それどころか、記憶力もよくてちゃんと復習もする若い秀才にも勝てない。

いずれにしろ、ちょっとネットで検索すれば、たいていの知識は誰でもすぐに入手

できる時代である。ひと昔前のように、物知りだからといって、重宝されたり尊敬されたりすることはない。それどころか、何かに書いてあった知識、誰かが言っていた情報をそのままひけらかすだけの人は冷笑されるだけである（クイズ番組の「優等生」が人気があるように、いまでもテレビの視聴者レベルの人に物知り信仰が残っているのは事実だが、少なくとも近未来には、そのような傾向になっていくだろう）。

では、何が問われるのか、といったら、それらの知識、情報に対する、

**その人なりの独自の解釈、分析、視点、それらに基づく「意見」**である。

そういうものがあればこそ、「このことについて、あの人だったら、どういうことを言うだろうか？」「どういう意見を持っているだろうか？」「思いがけない情報分析をしてくれるんじゃないだろうか？」との期待から、人が集まってくる。仕事はもちろん、ＳＮＳでの私的な発言、投稿についても、同様である。

いま、池上彰さんが人気なのは、単に知識をわかりやすく解説してくれるだけでなく、そこにかれ自身の意見が反映しているからだろう。そうでなかったら、これからのＡＩの時代、直ちに淘汰される。

つまり、五〇歳を超えた人が学ぶべきは、**知識そのものではなく、その知識に対するとらえ方**である。

## 五〇歳からの思考法

では、具体的には、どのようなとらえ方を学ぶべきなのか？

わたしの場合は、次のように考えている。

**①いまの答えが一〇年後の答えでもあるとは限らない。**

たとえば、ついこの間までは、コレステロール値が高いことは健康にとって悪だったが、いまでは、ある程度の高さの人のほうが長生きする、というデータも出てきている。ひと昔前までは身体にいいとされていたマーガリンが現在では身体に悪い脂の代表のように言われたりする。

このように、昨日まで正しいと思われていたことが新事実によって一晩で覆されることは珍しくない。ましてや、ほとんどのことは現時点で証明されてもいない、ただの仮説だ。そう考えると、現時点での正解が一〇年後もまだ正解であると断言することはできないだろう。

ガンにしても、切ったほうがいいのか、放置したほうがいいのか、誰もロングタームの大規模調査をやっているわけではないから、本当のところはわからない。

あるいは、いま、共産主義は終わったことになっているけれど、わたしはそうとは限らないと考えている。マルクスが言っていたのは、資本主義のあとに共産主義が来る、ということだった。開放前の中国や旧ソビエト連邦がうまくいかなかったのは、資本主義が本格的に始まる前に共産主義をとってしまったからで、資本主義の最先端で格差社会がどんどん進んでいるアメリカやそれに追従する日本などでは、このまま行くと、いずれ資本主義の限界が来ないとも限らない。ＡＩが進化して、仕事はほとんどすべてロボットにやらせて、儲けをみなで分け合う社会が来ないとは限らない。

少なくとも現行の株主資本主義では、ＡＩやロボットに勝てない人間は人件費の無駄ということにされるから、失業率が六割とか八割の時代が来かねないというのは前述したが、それでよけいに富が増した富裕層を、大衆がいつまでも許すとは思えない。

これらは一例だが、**常に、わかったつもり、知っているつもりではなく、その知っている答えは、あくまでも現時点での仮説にすぎないという前提**で物事に接することが重要なのである。

**②物事を深掘り、横掘りして、常に、別の解答を探す。**

①に備えるためには、常日ごろから、一般的な解答を疑ってみる、別の可能性はな

いかと考えてみる習慣が有効だ。

テレビの報道番組を観ながら、コメンテイターや評論家がもっともらしく語る解説を疑ってみるのもいい。別のとらえ方はないかと考えてみるのもいい。

たとえば、法人税をもっと下げないと企業がみんな出て行ってしまう、外国から企業を誘致できないというけれど、本当にそうなのか、むしろ税率をもっと高くして、その代わり経費として認める枠をもっと大きくしたほうが景気がよくなり、税収も上がるのではないか。

そんなことを経済学者に言っても、素人考えだと一蹴されるだけかもしれない。しかし、試してみなければ間違っているかどうかはわからない。だいたい、量的緩和とさらには、マイナス金利にすることによってお金をジャブジャブに刷れば、期待インフレ率が二%になって景気が上向く、というのも、ひとつの仮説にすぎず、その結果は、みなさん、ご存じのとおりだ。

だいたい、もともと経済学というのは、人々が完全な情報を持ち、かつ合理的な判断ができる、という仮説のもとにできあがってきたものだ。そんなことがあり得ないのはみんなわかっていて、だから、完全な情報を持っていないときに人はどういう行動をとるかを研究したスティグリッツや人間の不合理な行動の傾向を分析したカーネマンがノーベル経済学賞を受賞した。特にカーネマンは、スタンフォード大学の心理学の教授のまま、ノーベル経済学賞を受賞している。

しかし、日本では、たとえば、『朝まで生テレビ!』のようなテレビ番組で経済を語るのに、庶民の気持ちの代弁とやらでお笑いタレントが呼ばれることはあっても、心理学者が呼ばれることはまずない。旧来型の経済学者や、せいぜいエコノミストと呼ばれる人のオンパレードだ。これは、テレビ局側の問題ではあるが、それでは既存の意見以上のものが出るわけはないだろう。

ともあれ、このように、**一般に正しいとされている解、最初に出てくる解以外の別の解を探す**ことによって、通常は気づかないユニークな視点が持てるようになる。同じ情報から、深い洞察、意外な推論ができる人は、とくに社会的地位を持つ中高年になるほど稀になるから、社会で希少価値を持つ。

もう少し、例をあげよう。

以前に問題になったディオパンという血圧の薬の論文の改ざん事件。改ざんそのものはもちろん許される行為ではないが、わたしが注目したのは、なぜ改ざんせざるを得なかったか、ということだ。これを、単なる道徳問題、倫理問題として片付けてしまうと、別の視点は得られない。

さて、その理由は、欧米ではたしかに心筋梗塞も脳梗塞も減少させるという大規模調査のデータがとれたのに、日本では有意差が出なかったからだ。もともと日本の心筋梗塞による死亡の割合は、アメリカの四分の一だ。データがとれなかった、ということから推測すべきは、食事（欧米と違って心筋梗塞になりにくい食生活といえる）ですでに四分の一まで発症率を減らしている国では、血圧の薬を長期に服用しても、ディオパンに限らず、脳梗塞や心筋梗塞の予防効果は見られないかもしれない、ということだ。

あるいは、こちらも以前に大騒動となった薬害エイズ事件。当時は、帝京大学病院で非加熱血液製剤を投与して患者をエイズに感染させて死亡させた内科責任者の安部英さんというのはとんでもない医者だと非難されたわけだが、非加熱製剤が出る前の血友病患者の平均寿命は二九歳。それが、当時でもエイズになったとしても五年十年は生きられると考えられていたのに加えて、ご存じのとおり、現在、エイズは不治の病ではなくなっている。

つまり、結果から考えると、非加熱製剤を使わずにいま亡くなるのを放置するのではなく、使って医学の進歩を待つ、という考え方もある、ということだ。

このように、物事を一般メディアから得られる情報だけでなく、**背景情報を調べる深掘り、あるいは、関連周辺情報も調べる横掘りをしてみる**ことによって、表面的な報道からはわからなかったさまざまなことが見えてくる。根深い問題に気づいたりする。そして、単純な善悪二元論ではない第三の視点、意見が持てるようになる。

それだけではない。前例主義から脱して、**常に複数の解答を探す習慣は、前頭葉を**

**刺激することになるから、前頭葉の老化防止にもつながる。**すると、ますます柔軟な発想ができるようになる、というわけだ。

**③勉強は、ひとつの答えを知ることではなく、多様な答えがあることを知るためにある。**

真実はひとつであり、それを探求する、というのが、勉強の一般的なイメージだろう。実際、試験では、正解はひとつである。複数解がある問いは、悪問として排除されてきた。その延長からか、経営や政治経済、対人関係や人間の心理まで、正解は唯一という前提のもとに、正しいか間違っているか、善か悪かを判断しようとする傾向が強い。

特に歳をとり、前頭葉が老化してくると、その傾向はさらに強まり、自分がいったん取り入れた解以外のものを受け入れようとしなくなる。「自分にはすでにわかっている」という立場から動こうとしなくなる。

ところが、すでにお話ししてきたように、自分と立場の違う人と会ったり、自分の知らない世界、自分とは異なる価値観で生きる人の本を読んだりすると、世の中には多様な解があり、価値観があることに驚かされる。

それが勉強である。

前の章でも書いたが、ひとつの答えを知るためではなく、多様な答えがあることを知るためにこそ、勉強があるのだ。だからこそ、人生は楽しい。まだまだ知らない世界があると思えばこそ、もっともっと長く、健康に生きていたいと思える。五〇歳を過ぎたら特に、このことを忘れずにいてほしい。

## 単なる物知りが通用しないのであって、無知なのはもっと通用しない

単に知識量だけあってもこれからは通用しない、という話をさんざんしてきているが、それは、だから知識なんてなくていい、ということとはまったく異なる話だ。

**知識があるのは当然で、それを使うことで自らの知恵にしていかなければ意味がな**

い、と言っているのだ。

前例や常識や権威にとらわれない別の解答を考える、自分なりの意見、とらえ方を持つことが重要だと言ったが、そもそも「いまの新自由主義者の主張は、アメリカからの圧力に屈したものにすぎない」などと言おうにも、それには、「新自由主義」の意味を知っていなければならないし、その前のケインズの時代について知っていなければならないし、場合によっては、マックス・ウェーバーとマルクスもかじっていなければならない。

一九七〇年代からのニクソンショック、プラザ合意、レーガノミクスといった、ここ半世紀のアメリカを中心とする経済政策の動きについても、そして、現在のアメリカと日本の経済指標にもある程度通じている必要があるだろう。

つまり、これらの「事実」を滔々と解説するだけでは、ただのうんちくオヤジで、そんなこと、ウィキペディアに書いてあります、と言われてしまうのがオチだが、そういった知識を総合して、ひとつの現象をどのようにとらえることができるのか、どのような革新的な見方ができるのか、さらには、その見方に基づいて、具体的な行動がとれるかが問われるということなのである（このレベルまでいければ、プロの経済学者と議論してもそう負けないだろうが、努力目標はこういうところにおきたい）。

そして、それには、たとえば、心理学を学んだ者の目から経済を語るとこう見える、医学を学んだ者の目からいまの政治を見るとこう見える、商社マンとして世界中を営業してきた身から現在の世界の格差の問題を見ると、こういう提案ができる、といった拠って立つ専門分野があると強い。

だからこそ、その専門分野における知識と経験を、独自の視点と意見に生かしていかないと、もったいないと思うし、それこそが、若い者に負けない中高年の強みだと思うのである。

## 2 何を学んだらいいか？

### 何のために勉強するのか？

五〇歳から勉強を始めるとしたら、何を目的として勉強する内容を選んだらよいのだろうか？

現実的には、次の四つのパターンが考えられるだろう。

このうち二つは、報酬を得る目的を含み、残りの二つは、必ずしも報酬を目的としない。むしろこれまでの蓄えを自分のために使う行為であるといえる。

順に簡単にご紹介しよう。

## 〈目的に報酬を含むもの〉

### ①いまの仕事で、さらに上を目指すための勉強

現場の統括をしていた技術系の人が人事の役員になったり、海外の支社やこれまでとはまったく異なる業種の子会社の社長・役員として出向になる、といったことは珍しくないだろう。そこまでいかなくても、ある程度の仕事を任せられるポジションに立ったり、使う人の数が増えてきた場合、企業のM&Aや方針の転換によって、これまで経験したことのないような仕事をしないといけなくなることがあるはずだ。

いずれの場合も、辞令を手にしたその日から、勉強しなければならない。第二章の「記憶術」と「前頭葉を老化させない工夫」が役立つだろう。

なお、この過程で、この歳から英語を学ばなければならない人も出てくるかもしれない。実際、会社が突然外資と合併してしまって、英語で会議や商談を行わなければならなくなったエンジニアの話など、よく耳にするようになった。

しかし、恐れるに足らない。五〇歳を過ぎてから本格的に英語の勉強を始めて、自分の専門分野の同時通訳を務めるようにまでなったエンジニアもいる（五〇歳からの英語の学び方については、後ほどお話しする）。

**②すぐに、もしくは、定年後の起業の準備としての勉強**

定年後の起業は、大きく二つに大別されるだろう。

1　いまの仕事の延長で、専門性や人脈を生かした独立・起業をする。〇〇コンサルタントといった業種になることが多い。

2　資格をとって、これまでとはまったく違う業種で開業する。鍼灸師、社労士、産業カウンセラー、飲食店経営、臨床心理士など。

資格が必要なものについてはいまのうちから勉強を始めるのはもちろん、事業計画の立案や戦略づくり、人脈づくりなどについても、いまから始めておいたほうがいい。

前述のように、前頭葉の老化から意欲と発想力がいまより低下してしまう可能性があるからだ。

業種については、学問的知力そのものよりも、長い人生経験を生かした人間観察力、コミュニケーション力が生かせるもののほうが若い人との競争に巻き込まれず差別化できる。

## 〈目的に報酬を含まないもの〉

### ③夢を実現するための勉強

若いころから好きだったけれど、あきらめてしまっていた夢、たとえば、音楽、絵画、演劇、小説、古典や歴史の研究……誰にも何かあるのではないだろうか。

わたしの場合は、映画だった。映画監督になることが、高校時代からの夢だった。ただし、学生時代、撮ろうとした自主映画がとん挫し、ようやく夢をかなえたのは、四七歳になったときだった。おかげさまで、これまで三作の映画を撮らせていただき、主演も秋吉久美子さんや橋爪功さん、松方弘樹さんら大物にご出演いただけるようになったが、それでも興行的には赤字で、いまや映画を撮る資金のために働いているようなものである。

映画の場合はお金がかかりすぎるのはたしかだが、デジタルで撮るようになり、PCで編集できるようになったから、ドキュメンタリーならタダ同然でも撮ることができる。編集や撮影を多少勉強しなければならないが、いいものをつくれば賞も狙える。わたしも経験したが、海外での受賞はやはり気分のいいものだ。そして、多くの映画祭にはドキュメンタリー部門がある。

ちなみにわたしがグランプリをとったモナコ映画祭の本命とされたのは、ハリソン・フォードがナレーターを務めるダライ・ラマのドキュメンタリーだった。俳優に知り合いがいた場合、出演はおこがましいが、ナレーターなら頼みやすいかもしれない。

他の文化的活動の場合、独学でもいいが、古典や歴史なら放送大学や社会人大学院などの大学に通う、音楽や絵画なら先生につく、という方法から始めることになるだろう。

同じ夢を持つ昔の仲間がいればいいが、そうでなくても、学校に行くなどすると、そういう仲間は見つかるものである。

ただし、ここで特に大学や大学院選びには、注意が必要だ。いまは国立大学法人も含めて経営難で、社会人大学院などはかっこうの資金稼ぎの場となっている場合が少なくない。学費や講義内容をよく調べておくこと。学べる学科は案外限られている。

再就職のために学位がほしい、という場合ならともかく、研究そのものが目的の場合は、大学の知名度や偏差値ではなく、研究テーマと指導教官（同じテーマでも、あなたの価値観とはまったく逆の立場をとる教授である場合もある）によって選ぶべきだろう。

## ④仲間づくりのための勉強

これは、③と内容的には同じようなものになる場合が多いが、目的が、音楽とか歴史研究といった課題そのものではなく、そこから派生する人間関係にある場合である。

したがって、輪読会に参加する、各種勉強会に参加する、NPOに参加する、地域の活動に参加する、介護福祉を学びボランティアに参加する、俳句や短歌を学ぶ会に加わる、などといった行為も含まれる。

先にも書いたように、わたしは独学でワインを学び、映画と並ぶ道楽となっているが、それは、ワイン収集家になるためでも、ソムリエになるためでも、ワイン評論家になるためでも、ワインバーを開くためでも、ましてやワイン投資家になるためでもなく、ただ、月に一度程度、ちょっと高価な珍しいワインを開けることをエサに(!)、人々に集ってもらいたいからである。

## 条件を知る

どんな目的であれ、やはり勉強を始めて続けるには、現実的な制約がある。次の四つを明らかにしてから、始めることだ。

ここまで読んで、あなたが漠然と始めようかな、と思っている勉強は、この条件に照らし合わせると、どうなるだろうか？

**①最終的な目標は何か？**

**②目標達成までの、お金、時間は、どのくらい必要か？**

**③目標達成のために必要なスキル（英語、パソコン、統計スキルなど）は何か？**

**④自分が確保できる人脈や環境、学ぶ場所までの物理的な距離などは、大丈夫か？**

ただ、ひとつ付け加えておきたいのは、学んでいく過程で、目標がいい意味で変わることも大いにあり得るということである。あくまでも趣味を極め、若さを維持するために始めた勉強が、ビジネスにつながっていったり、思いもかけなかった自分の才能に気づいてしまったり……それらの「想定外」の事態も楽しめるよう、覚悟しておこう。

## 好きを仕事に！しなくていいが、好きを勉強に！したほうがいい

では、最後に、もっとも重要な条件についてお話ししておこう。

それは、いずれの場合も、**あなたがこれから始める勉強は、あなたが好きなこと、あるいは好きになれることでなければならない**、ということだ。

ただでさえ、意欲低下しやすい年代というハンディを負っている。好きなことでなければ続かない。自分に正直になって、本当に好きなことを始めてほしい。これまで、好きなことをするなどという「わがまま」を封じ込めてきた世代には、案外難しいことかもしれないが、それこそ、家族に責任のある若い人には得られない、この世代の特権である。

# 3　英語はやはりできたほうがいい

**英語はやはりできたほうがいい**

何を勉強するかにもよるが、多くの場合、英語はやはりできたほうがいい。見聞も、人脈も、楽しさも拡がる。

ただし、TOEICを目指すわけではないのだから、若い人と同じような勉強法をとる必要はない。英語好きの若い人に多いのは、英語ができるようになることそのものが目的になってしまっていることだが、五〇歳からの英語は違う。あくまでも手段である。**知識を獲得し、あるいは、意見を発信し、あるいは、日本語圏以外の人と交流するための手段**である。

そこから逆算すると、英語の四技能、読む、書く、聞く、話すのうち、中高年が特に力を入れるべきは、次の二技能だ。

**①リーディング力**
**②スピーキング力**

順に見ていこう。

## 他に差をつける情報収集を可能にするリーディング力

情報収集のため、英語のネットニュースや専門の論文が読めるようになるのが目標だ。

いまは、ネットに登録すれば、NEW YORK TIMESなど、英語のニュース記事がいち早く読める。素早く抄訳記事が出るが、訳す側のポジショントーク的な記事になっていることも多く、また、詳細のＵＲＬをクリックすると、それが英語の記事だったりする。ECONOMISTのように、英語でないと現物は読めないものもある。

わたしの場合、精神分析の英文の論文を読んでいる人が、そもそも日本中見渡してもそう多くはいないから、それを読んでいるだけで差別化になっている。また、最新の学派（intersubjective system psychoanalysis＝相互主観性システム精神分析）のメーリングリストにも入っているので、最新のホットな議論もリアルタイムで楽しむことができる。

まずは、自分の専門分野や興味のある分野から、辞書を引きながらでいいから、読んでみる。続ければ、だんだん速く読めるようになる。社会人大学院の受験を考えておられる方にも、大学院によっては英語の試験があるから、役立つはずだ。

具体的にはUSA Today（英語が読みやすい。アマゾンのアプリをダウンロードすると無料で読める）やPeople（これも英文のレベルは低いがタレントやセレブがらみの記事が多く親しみやすい）を定期購読することをお勧めする。

## スピーキング力は、発音より内容が肝心

日本語圏以外の人との交流、意見交換の機会は、これから増えることはあってもなくなることはないだろう。しかも、それはたいてい、英語圏以外の人たちだ。といっても、いまやたいてい英語が話せる。英語はいわば世界の公用語だ。

ここで言っておきたいのは、どうも日本人の英語好きは、発音や文法にこだわるようだが、相手の大半がネイティブスピーカーではない時代、**発音が悪いのはお互いさまだ。それより大事なのは、会話の中身である。**

世界中の若者が集まるコングレスのような場でも、いつも話題になるのは、日本人の発言の少なさ。よく聞いてみれば、みな、たいしたことを言っているわけではないのだが、堂々としゃべる。そのなかで、日本人はいるのかいないのかわからない状態だという。

もう二〇年以上前の話で恐縮だが、アメリカに留学していたころ、シカゴかどこか

のホテルのバーでひとりで飲んでいたら、「なんでアメリカの車が日本の車に負けたんだ？」と、いきなりアメリカ人に話しかけられた。

当時、アメリカではマツダが人気だったので、マツダのことを話した。

「以前、マツダがものすごく不振だった時期がある。でも、アメリカの会社のように工場に勤める社員をクビにしたりしないで、販売店に入れて、お客さんのニーズやクレームなどを聞く係にした。そうやって、勉強させたんだ。その結果、当時主流だったセダンやスポーツカーではなく、ハッチバックを開発することになって、大いに売れた」と。

すると、話しかけてきたアメリカ人がその連れの女性にこう言った。「こいつは、英語の発音はおかしいけど、言っている話は面白い」。

その後、知り合いの留学生（といっても医者の免状は持っている）から、ニューヨークの医学系の研究所の日本人の所長の話を聞いた。その先生は、英語の学術雑誌の査読委員をやるほど読む力があるし、いっぱい英文の論文を書いているが、英語の発音を直そうとしないためか、何を言っているのかがアメリカ人にはよくわからない。日本人であれば、子音の発音やイントネーションなどがおかしくても、よくわかるので、それをアメリカ人に聞き取りやすい英語に直してあげると、アメリカ人たちはすごく感謝するというのだ。

何が言いたいかというと、そのくらい発音がひどくても、話の内容に価値があれば、なんとかして人は聞きたいと思うものだ、ということ。逆に言えば、発音がいくらよくても、内容のない話なら、アメリカ人は聞こうとしない。わたしたちが、中身のない話を続ける日本人より、多少日本語は下手でも、面白そうな話をしてくれる外国人の話を聞こうとするのと同じことだ。

そういう点では、中高年は有利である。これまでの社会人経験から、それなりの知識と自分なりの「思想」があるはずだからだ。中身については、この章の最初の項目をご参照いただきたい。

# 4　日本語を学び直せ

## まず、日本語で自分の意見を言う習慣を持て

英語で自分の意見を言えない「英語遣い」が多いという話をしたが、そういう人はそもそも日本語でも、意見を言わない。というより、言えない人が多いのではないだろうか。会議の場などではひたすら「様子見」をしている人が、インテリと呼ばれる人ほど多いような気がする。あるいは、少し反対意見を言われただけで、論理的に、ではなく、感情的に反論する。自分自身も含め、そういう人が多いのを知っているから、口をつぐんでしまうのかもしれない。

しかし、意見などというものは、口に出し、それによって相手からのなんらかの反

応を受けながら、醸成されていくものである。アウトプットする習慣なしには生まれない。

そこで、英語のスピーキングのためにも、まず**日本語で意見を表明する習慣が必要だ。**

さいわい、いまは、ブログやツイッター、フェイスブックやnoteなど、ネット上には、無名の個人であっても参加できるさまざまな表現の場がある。現在は仕事の関係で、ＳＮＳの使用を禁じられている人も、いずれ組織の人間でなくなれば、自由に発信できるようになるだろう。

しかし、そのとき、急に書こうと思っても、なかなか難しい。いまから機会を見つけて発信するようにしておくことをお勧めする。

## 正しい日本語は使えているか？

しかし、ここで注意したいのは、意見とか内容とかいう以前に、日本語をきちんと使いこなせていますか、ということだ。日本語なのだから、誰でもできると思うかもしれないが、わたしが見る限り、きちんとした日本語を書ける人は年々減っている。これはある意味、ネットで誰でも気楽に発信できるようになったことの弊害かもしれない。

しかし、若い人ならともかく、五〇歳からの大人が正しい日本語を使っていないとなると、意見云々という以前に、相手にされない。英語とは違って、母国語である日本語では、内容と同じくらい表現の正確さが求められるのだ。

先日、ある比較的メジャーなニュースサイトのなかの、アメリカメディアの解説記事のなかに「的を得た」という表現があり、それをもって、別の人が、「細かいところに目くじらは立てたくないが、そこを読んだところで、続きを読む気がしなくなってしまった」とフェイスブックで発言しておられた。

日本語力というのは、ある意味、服装や身だしなみに似ているのかもしれない。特にある程度の年齢になると、やはり人はその外見から、その人のレベルを判断するものである。自分の地位や立場にふさわしい外見、振る舞い、言葉遣いをとるだけの知性と感性があるかどうかを判断されるのである（ヨーロッパはもちろん、アメリカ人でも使う言葉で階層がわかるとされている）。

慣用句や「てにをは」の間違いだけではない。読みにくい下手くそな文章、品のない文章、語彙力の乏しい文章、非論理的な文章、面白みのないお役所的な文章……世の中には、悪文が蔓延している。

それればかり読んでいると、日本語力はどんどん衰える。ここは、「古典的方法」で正しい日本語力を鍛えるべきだ。

## 古典的文章修業の勧め

「古典的方法」とは何かというと、優れた文章を書き写して体得することだ。昔、作家は修業として、名文家とされる小説家の文章を丸写ししたという。いまでも、後進にその方法を勧めている作家や編集者は少なくないという。

では、ふつうのビジネスマンは何を写したらいいか？

とりあえず『天声人語』はどうだろうか。右翼の人たちからはふざけるな、と言われるかもしれないが、それなりに文章がうまい人が選ばれているだろうし、分量もほどよい。そのときそのときの話題がテーマとなるから世の中の動きや、それに対する他の人の意見を知ることもできる。それ以上に話の展開がうまいので、どういうふうに話をつなげていくと人に興味を持って読んでもらえるかの参考になる。さらに、毎日更新されるから、習慣とするにもちょうどいいだろう。右翼の人なら産経抄もいいが、石井英夫さんが辞められたのが少し残念だ。

ほかには、やはりきちんとした批評家や十年に一度ぐらいしか本を出さないような研究者の書いた書籍を読むことだろう。

一生に二、三冊しか書かない人というのは、やはり気合いを入れて書くものだ。そして、たいてい老舗の硬い出版社から出す。そういうきちんとした出版社から出されている本なら、校正や校閲も入っているから、少なくとも、語法や文法の間違いはないはずだ。

## 5 読書は一部熟読法

### 右から左、上から下まで、幅広く読む

読書の話が出たところで、わたしの読書法についてもご紹介しておこう。

日本語訓練ではなく、さまざまな考えを知るための読書については、必ずしも権威などにこだわらず、**なんでも読んだほうがいい**と思っている。本に限らず、新聞、雑誌、ネット記事まで。右から左まで、上から下まで、広ければ広いほどいい。

雑誌なら、『週刊大衆』『週刊実話』から、『AERA』『世界』まで。ネットなら、「日経デジタル」から「5ちゃんねる」まで。

前にも書いたように、自分と異なる意見を持つ人向けの本やメディアも、意識的に

読むようにしている。前頭葉の訓練になるだけでなく、勉強の本来の目的である、「答えがたくさんあることを知る」のに、必要だからだ。

最近は、個人による有料のメルマガも多いが、特定の人の信者のようなフォロワーになるのは感心しない。だいたい、そういうメルマガの発行人は比較的若い人が多いと思うが、五〇歳も過ぎて、若造の信者となり、その教祖さまと同じことを言っても誰も耳を貸さないだろう。

## テレビは、施政者の裏を読むために観る

ただ、それでもテレビや軽い本よりは幾分ましだろう。特に最近のテレビについては、情報源としてもっとも価値がないと思っている。そこから流される情報は、とどのつまりが大本営発表だからだ。

そういう意味では、裏で、官僚が何を考えているか、何を動かそうとしているかを深読みする題材としてはいいかもしれない。たとえば、自民党の憲法草案を見ている

と、家族を大事にするようにとわざわざ書かれているわけだが、保守的な思想だけでなく、施設介護より在宅介護が基本だという財務省や厚生労働省の思惑を読むわけだ。というわけで、テレビを観るなら、この情報にはどういう裏があるか、と考えるために観る。あるいは、訳知り顔に語るコメンテイターや司会者の意見に対する反論、別の見方、意見を考えるために、観るのが賢明だろう。

**読書は一部熟読法、ネットは隙間時間活用芋づる式情報収集法で、時間をかけない**

幅広い情報収集が必要なのはわかっているが、なかなか時間がとれない、という人が多いが、よく聞くと、本というのは最初から最後まで全部読むものだと思っているようである。それでは一生のうちに読める本はかなり限られる。人生がもったいない。

わたしはいわゆる「速読」はしないが、その代わり、それぞれの本で、重要なところには、**付箋を貼り、そこだけ熟読する「一部熟読法」**とでもいう読書法をとっている。

せっかく読んだところは、講演や執筆に引用するなど、使えるようにしたいと思っているからだ。そうすることによって知識として自分のなかに定着する。

そうでなかったら、読んだ時間そのものが無駄になってしまう。

また、パソコンに向かって仕事をしている間、気分転換や時間に余裕があるときに、いろいろなサイトをネットサーフィンのように見ている。

たとえば、ＭＳＮのニュースサイトを開けていて、「シンガポール証券、取引を一時中止」などと出てきたら、とりあえず開けてみる。シンガポールで株式がなんらかの理由で乱高下したらしい。何が起こったのか？　と関連記事を読んでみる。すると、「二重取引？　二重取引って何なんだろう？」ということで、検索してみる……そうこうしているうちに、アジアの市場の流れが、だんだん見えてくる。とまあ、こんな感じだ。

このように、**ネットでは、芋づる式に思いがけない知識を得ていく**ことが結構多い。

## この章のまとめ

①知識ではなく、その知識に対する独自のとらえ方を持つことが重要。
②いまの答えが一〇年後の答えでもあるとは限らない。
③物事を深掘り、横掘りして、常に、別の解答を探す。
④勉強は、ひとつの答えを知ることではなく、多様な答えがあるのを知るためにある。
⑤勉強する目的を明確にする。
報酬が目的なのか？　好きなことを極めるのが目的なのか？
現在の仕事でさらに上を目指すために必要なのか？　独立・起業が目的なのか？
社会貢献が目的なのか？　異性をも含む他者との交流が目的なのか？
⑥英語は情報収集（リーディング）と外国人との交流（スピーキング）の手段として学ぶ。
⑦正しい日本語を学び直す。
⑧本は幅広く、一部熟読法で読む。

第4章

# 五〇歳からは、インプットよりアウトプット

# 1　アウトプット三つの効用

## そもそも勉強はアウトプットするためのもの

最近はかなり怪しくなってきたとはいえ、それでも、日本人は比較的勤勉だといわれる。社会人になっても、勉強好きな人が少なくない。少なくとも、少子化の影響で受験がかなり簡単になったり、義務教育の間はゆとり教育なるものを経ている若者より、五〇代の人のほうがはるかに勉強の習慣もあるし、勉強の好きな人が多い。

が、少々問題がある。どうも、勉強することが目的化してしまう人が多い、ということだ。英語など、その最たるもののようだ。ひたすらインプットすることに夢中になってしまうのだ。

受験勉強もそうだろう。東大に入ることが目的化してしまっている学生は少なくない。

大学教授もそうだ。教授になることのうまみは、研究費が増え、またその配分に采配がふれるようになることで、たとえばノーベル賞を目指して自分の本当にやりたかった研究のスタートラインにつくことのはずなのだが、日本の場合、教授になることがゴールで、これまでの研究への功労賞として授与される、「位」のような扱いになってしまっている（そういう意味では、これまでの東京都知事も、そうだったのかもしれない。これからは知らないが）。

資格試験や入学試験、昇級試験など、目的が明確な場合は、それに向けて問題集などをやって勉強するわけだが、それ以外の、ここまで述べてきた自分なりの思想を持つための勉強とか、独自の視点を持つための勉強とか情報収集などの勉強の「出口」はどこなのか？

そもそも勉強は、なんらかの形でアウトプットするためのもののはずである。それなのに、ふだんの勉強で得たことをアウトプットする人が非常に少ない。本を読んでいる割には、それを使っていない、意外に語れない人が多いのだ。

では、何のために、勉強しているのか？

おそらくは、ひとつは、自分はこんなことを知っているという自己満足だろう。知る喜び。わかる喜び。知らなかったことを知る喜び、わからなかったことをわかるようになる喜びは大きい。でも、子どもでも、自分が知ったことは一生懸命、ねえねえ、と周りに知らせようとする。知る喜びと同時に、外に知らせる喜びを味わってもいいのではないかと思う。

たしかに、たとえば飲み屋で、池上彰さんが言っていたことを「これってこうなんだぜ」などと話していると、「それって、今朝、テレビでやってたやつじゃないか」と冷笑されるかもしれない。しかし、それを一〇年毎日続けるとなると、話は別だ。「あの、物知りに聞いてみよう」ということになる。

つまり、**アウトプットすることによって、社会で一定の居場所を得ることができる。**

そして、それは、わたしたちが秘かに、何より望んでいることのはずだ。

## アウトプットすることで記憶が定着する

学んだことをアウトプットすることには、もうひとつ大きな恩恵がある。それは、第二章でもお話ししたように、アウトプットすることによって、記憶が定着するということだ。

これは、たとえば世界史などの受験勉強で、カードなどをつくって覚えるよりも、実際に問題集をやりながら、試験に出る形で覚えていったほうが効率よく覚えられるという事実と共通する。

さらには、覚えたてのことを、実際に口に出したり、文章に引用したりして、「使う」ことで、それがいわば反復練習の復習となって、記憶が定着する。

**アウトプットが、記憶そのもののトレーニングとなる**のだ。

ついでにいうと、アウトプットすることでふつうの人が忘れてしまうようなことを覚えていると物知りに見える。池上彰さんが言った話をそのまま翌日に言っても受け売りの扱いを受けるだろうが、一年後であれば、「よくお前、そんなこと知っているな」という話になることがあるだろう。

また、アウトプットすることを目的にインプットしていると、**最初から情報を整理して記憶することになるから、いっそうインプットの効率も上がる。**

## アウトプットが情報収集の機会となる

たとえば、会社の役員会議で自分たちのプロジェクトのプレゼンを行うような場合、そのプレゼンに向けて、さまざまな資料を集め、整理することになるだろう。同窓会の会報などに、いまの仕事の専門分野についてのテーマで寄稿するよう依頼されたような場合も同様だ。

いくら知っていることといっても、きちんとした文章にするとなると、関連の最新データを集めるなど、さまざまな情報を収集することになる。そして、文章にしていったり、プレゼンのパワポをつくったりしていくうちに、その新しい情報が自然に自分の知識として定着する。問題集から始めて知識を整理しながら身につけていく勉強法と同じだ。

まず、**アウトプットという目的があって、それに向けてインプットしていく。すると、最初から整理された状態で、効率よく情報を収集できる。**

さらに、質問など反響があると、それに対して、また調べて答えるなど、アウトプットすること自体が、情報収集の機会となるのである。

## インプットより、これまでの知識から新しいことを生み出そう

『思考の整理学』の外山滋比古氏と対談する機会を得たことがあるのだが、その際

に、外山氏は、歳をとったら、もう勉強なんかしなくてもいい、と言っておられた。ここで言う「勉強」とは、インプットのこと。すなわち、いくつになっても入力にばかりこだわるからダメなのであって、出力をしたほうがいい、とおっしゃっているのだ。実際、外山氏は、週に二、三回、比較的知的な高齢の仲間を集めて、互いにいろいろなことを言う会を設けているらしい。

おそらくは、歳をとってもこれまでの知識をうまく使えていない人が新たなことを学ぶより、これまでの知識からどんなものを生み出していくかを考えたほうがいいだろうということだ。

同様のことは、ハインツ・コフートという精神分析学者にもいえて、かれは晩年、ほとんど自分の専門の本を読まなくなったそうだ。ミスター・サイコアナリシスとも言われるほどの物知りで、精神分析のありとあらゆる文献を読んでいる人だったのが、五〇歳を過ぎるくらいから、精神分析関係の本を読まなくなったということで知られている。

むしろコフート氏は晩年、精神分析の本よりは、彼にとっては異分野である哲学書だとか政治学の本を読み、自分の精神分析の知識なり思索を応用できるようにすることに専心したのだ。

# 2　反論・批判とどう向かい合うか？

## アウトプットの場所は？

少し前までは、ふつうの人がアウトプットしようと思ったら、新聞や雑誌の投書欄に投稿するか、それこそいやがる部下を引き連れて、あるいは、なじみの店のマスターや常連客に、「うんちくオヤジ」をやるぐらいしか機会がなかった。

たまに、何かに寄稿するよう頼まれたり、講演やスピーチ、勉強会の講師、あるいは、何かの審議会や勉強会で、委員やパネリストを依頼されたりすることもあるかもしれないが、その機会は数えるほどだ。本を出したり、雑誌に連載を持ったり、講演料である程度の収入が得られたりするのは、それなりの仕事についている人だけだった。

そう思えば、これまでは、なかなかアウトプットを勉強の目的とはしにくかったことは理解できないでもない。


しかし、いまは、ネット上で、誰でも発信できる時代である。ツイッターやフェイスブック、ブログや個人サイトで記事を書いたり、ユーチューブでの動画配信を行ったり、NewsPicksのようなニュースキュレーションサイトに意見を投稿することもできる。noteのように、自分が書いたものに簡単に課金できるサービスもある。まったくの無名の会社員が、ネットのブログからベストセラー作家になり、独立していくことはもはや珍しいことではない。

したがって、アウトプットしようと思ったら、まずは、これらのネット上で、きちんとした発信を始めることをお勧めする。

## 反論があるぐらいのアウトプットをする

ところが、せっかくブログなり、フェイスブックなりを始めても、当たり障りのないことや、本人以外誰も関心を持たないようなきわめて個人的な日常些事、あるいは、ニュースサイトの記事などの単純な「シェア」を投稿するだけ、という人が少なくない。

要するに、その人なりの意見がない。思いがけない視点がない。一部の人にしか知り得ないような専門分野の裏話などもない。だから、つまらない。だから、読まれない。

なぜか？　反論を恐れるか、もしくは、もともと意見がないか、のどちらかだろう。

先にも少し触れたが、アウトプットするからには、必ず、誰かからの反論があることを覚悟しなければならない。多くの人は、それを恐れるわけだが、そもそも、もし、ここを突っ込まれたらどうするか？　という、いわば想定質問を常に意識して、アウトプットすればいいわけだ。反論に対する反論のためのインプットもすることになるだろう。

安倍元総理を見ていて、「切り返し」がずいぶん上手になったのを感じていた。第一次安倍内閣の折には、すぐにかっとなったり、むきになったりしていたのが、後に、「私が言論の自由を統制しているというのなら、これを見てください」と、安倍大批判の日刊ゲンダイを出して見せたりしていた。

一般に、日本人は、反論や批判を恐れ、それを避ける方向に持っていくために頭を使う傾向があるが、それが効果的なのは日本国内に限られる。世界の舞台では通用しない。それよりも反論や批判を受けて立ち、答えていく能力を身につけるべきときだ。

そうでなくても、当然反論されるような文章を書くほうがしゃれているとも思う。むしろ、まったく反論されないことのほうを恐れるべきだ。それだけ相手にされていない、自分の言説に誰も注目しないということだからだ。

そういう意味では、最初から戦略的に、こういう反論が来てほしい、と反論を呼び込むような発信をすることもできる。反論が来たらどうしよう、と受け身になるから怖いのであって、こちらから反論をとりに行く、というスタンスでいると、むしろ知的格闘技のようで楽しい。脳の活性化にも当然、役立つ。

なお、いわゆる差別発言は、反論でもなんでもない。ネットの悩ましいところは、日本語の読解力のない人や品格のない人が、ときにお門違いの差別発言で反論してくることだが、そういう輩とは接点がないようにする方法、反論する方法はあるので心配はいらない。

## 3 スピーチは、原稿書きとリハーサルを怠ってはいけない

### アメリカ人と日本人のスピーチの差は、リハーサルの差

書く以外のアウトプットの代表は、「話す」ことだろう。よくアメリカ人を引き合いに、日本人はスピーチが下手だと言われる。政治家がその典型だとも。たしかに、自分の意見を堂々と話すことがよしとされている欧米と、出る杭は打たれ、和を尊重する日本とでは、社会的文化的な違いはあるかもしれない。しかし、それ以上に大きいのは、**場数とリハーサルの量の違い**だ。

アメリカでは、スピーチが重視されるからこそ、そのリハーサルも非常に重視され

ている。何日も前から何回も行う。ビデオに撮ったり、メンターをつけてフィードバックしてもらいながら行う。

アメリカ人というと、アドリブがうまいように思うかもしれないが、トランプのあの失言、暴言ともいえるスピーチにも、ちゃんとスピーチライターによる原稿があり、リハーサルが積まれているのだ。

大統領選や大物政治家の諮問委員会クラスになると、本番さながらの聴衆が集められ、本番同様の演説、質疑応答、複数のプロによる厳しいチェック、フィードバックと、入念な準備が行われる。服装や髪型はもちろん、ちょっとした表情ひとつ、声の抑揚のひとつひとつがチェックのポイントとなる。

日本の首相の場合、官僚の書いた原稿を棒読みしているだけだという批判が多かったが、最近は、専門のスピーチライターがつくようになってきているようだ。ただし、そのとおりに話すかどうか、特に英語の場合、自分の言葉として話せるかどうか、素直に練習しているかどうかは、首相によるそうだ。安倍元総理は比較的それが上手だったのだろう。

## 原稿づくりから始める

政治家ならともかく、一般人のわたしたちは、自分で自分のスピーチライターになるところから始めなければならない。

スピーチが下手だという人に限って、練習どころか原稿も書いていない。原稿では、最初の「つかみ」から始まって、展開、挿入するストーリー、エピソード、最後の盛り上がりまで一気に聴衆を惹きつけるよう、工夫する。じつに重要な作業である。

原稿ができたら練習だが、実際にしゃべってみると話しにくいところがある。そこはどんどん原稿を訂正していく。そうこうするうちに、覚えてしまうものだ。そして、誰かに聴いてもらう。なかなか照れくさいものだが、そこで恥をかいておいたほうが本番で恥ずかしい思いをするよりずっとましだ。

## ふだんの会話から相手を楽しませるよう工夫する

ふだんの日常会話でも、話の面白い人とそうでない人がいる。できれば、面白く話せる人になりたいものである。それが、この先、定年後の人生を豊かなものにする何よりの勉強、準備かもしれない。

林真理子さんの周りにはいつも人が集まっているが、それは彼女が有名人だからというだけではない。話が面白いのだ。口は悪いが、思わず引き込まれる。それを天性の才能という人もいるかもしれないが、林さんに限らず、話の面白い人というのは、じつは気配りの人でもある。相手を楽しませようとするサービス精神の人といってもいいだろう。自分をどう見せるかではなく、相手をどういう気持ちにさせるか、その場をどういうものにするかを常に考えている。

三十年以上前、『一杯のかけそば』という感動話が有名になって、週刊誌、新聞、ラジオ、テレビ、とうとう衆議院予算委員会でもとりあげられ、泉ピン子主演の映画にもなった。

大晦日、一杯のかけそばを分け合って食べる貧しい親子を見守る、そば屋の店主の、いわば演歌ふうのショートストーリーなのだが、とにかく話し手の話がうまい。みんな、何度も聞いているから話はわかっている。それでも毎回、つい引き込まれ、毎回、同じところで泣いてしまう。その話し手は、その話ひとつで、全国行脚していたそうだ。

あんまり上手なものだから、みんな本当の話だと思って聴いていたが、やがて、どうやらあれは創作美談らしい、ということになったほか、作者の過去のスキャンダルが週刊誌で報じられたりして、ブームは終焉した。

しかし、一時期、その話術に、ほとんど日本中の人々が感動し、聞き惚れたのは事実だ。

できれば、あの域まで達したいものである。

## 4 アウトプットで得られる報酬とは？

書くにせよ、話すにせよ、アウトプットし続けたからといって、それが収入に結びつくとは限らない。書評ブロガーからビジネス書著者になったり、ラーメン好きで全国のラーメンを食べ歩いてはブログに上げているうちに、ラーメン研究家としてマスメディアに登場するようになる、というようなこともあるかもしれない。演劇好きで、小劇場を回っては批評を書いているうちに関係者の目にとまり、脚本を依頼されることもあるかもしれない（実際に聞いた話だ）。

しかし、それらはごく一部で、知名度のある人ですら、有料メルマガや講演料でそれなりの収入を得ている人は、ほんのひと握りだ。いろいろな作家の人に聞く限り、たとえ、賞をとろうと、その後も作家としてまともな収入を得ている人は、ごくわずかしかいないという。

だから、アウトプットそのものを金銭的収入に結びつけるというのは、当てにしないほうが賢明だ。

しかし、たとえわずかではあっても、アウトプットすれば、必ずファンやフォロワー、あるいは、志を同じくする仲間ができる。人間関係の新しいご縁が生まれる。そこから、思いもかけなかった新しい世界が拡がるかもしれない。

アウトプットすることによって得られる最大の報酬はそこにあるといえよう。

## この章のまとめ

①インプットではなく、アウトプットしながら勉強する。
②アウトプットすることで記憶を定着させる。
③ネットや勉強会でのスピーチなど、アウトプットの機会を積極的に持つ。
④反論があるぐらいのアウトプットをする。
⑤アメリカ人のスピーチ上手の秘訣は、原稿書きと入念なリハーサル。
⑥ふだんの会話から相手を楽しませるよう工夫する。
⑦新しい人とのご縁こそが、アウトプットで得られる最大の報酬。

# 第5章

# 勉強が老後を豊かにする

五〇歳というのは、まだ老後ではないし、いわゆる老化現象の多くもまだ始まっていない。せいぜいが老眼が進みはじめ、人によっては白髪が増えてきたり、薄毛が進行する程度のことだろう。

しかし、だからこそ、この先にやってくる老後の生活を決める大切な時期でもある。そのためにいまから始めておくべき「勉強」について書いてきた。最後に、重要なことをまとめておこう。

## ①人が考えないことを考える習慣を持つ

衝撃的な事件や政治的・経済的な問題が生じると、マスコミを中心に、さまざまな意見が飛び交い、やがて識者たちが解説を始めるものだが、そんなとき常に、かれらとは違う意見はないかと考えてみる。裏はないかと深掘りしてみる。

あるいは、はじめての飲食店に入ったら、そこの売上げを類推してみる。改善点はないか？　もし、自分が経営者だったらどうするか？　と、いくつかの戦略を考えてみる。

わたしは、毎日、もしわたしが憲法改正草案を書くとしたらどう書くかとか、シャープの社長だったらどうするかとか、他人から見たらアホと思われるかもしれないようなことをいろいろと考えている。行く先々で、たとえばここの駐車場は、こうしたらいいんじゃないかと考えたりする。いわば、趣味なのだが、それが、人が思いつかないような視点を持ち込むことに役立っていると思う。もちろん、前頭葉の活性化にもだ。

## ②プロセスより結果。短期的な結果より長期的な結果

わたしが以前教えていた大学院でも、六〇歳を超えてなお学びに来て、これから臨床心理士になろうとしている人たちがいた（今でもそういう人はいると思うが）。もともと頭のいい人たちだから多分資格はとれると思うし、人生経験も会社勤めの経験も豊かだから、きっとそのなかの何人かは人気のカウンセラーとなると思う。

しかし、臨床心理の世界を見渡すと、そういう人たちは少数派で、たいていは、ただ資格をとるため、大学院を卒業するために来ているように見える。そんなつもりはなくても、資格や修士号をとったところで、満足してしまいがちなのだ。

日本人は、外国人と比べても勉強好きだと思うが、それはあくまでも趣味としての勉強のようだ。その後、資格を生かして社会で結果を出すことよりも、勉強している、頑張っている、というプロセスに自己満足してしまっている人のほうが多いように感じられてならない。

それでも、前頭葉の活性化にはよいと思うが、やはり結果、それも短期的な結果よりも長期的な結果を目標としたほうがいいと思う。何も収入に結びつけなければいけないといっているわけではない。長期的な結果というのが、たとえば、孫やひ孫に、「おじいちゃまのお話っていつも面白い」と言われることでもかまわない。単なる自己満足よりはずっとましだ。

## ③アクティビティを維持し続ける

豊かな老後のためには、自分で動き続けることが重要だ。といっても、これは別に自分の足で歩けなければならないとか運動が大切だという意味ではない。

現に長野県は、少し前、男女とも県別平均寿命が全国一位になったのだが、昔の調査のときと比べると、山歩きもしなくなったし、昆虫食も食べなくなった（三〇年前の調査で男性が沖縄に次いで全国二位になったときに、その理由として、この二つがあげられたのだ！）。にもかかわらず、一位。

そうでなくても、昔と比べると、高齢者は歩かなくなったけれど、寿命は延びている。小説家など、家に籠もって仕事をする人のほうが概して長生きだったりする。

歩くことが健康と長寿にいい、という仮説はそろそろ疑うころだ。運動が脳の刺激になるというが、だったら**勉強のほうが直接的に脳の刺激となる**はずだ。

それでも動くことは必要だ。しかし、**必ずしも自分の足で歩かなくてはいけないわ**

**けではない。**軽自動車を運転することでも、車椅子でも、なんでもいい。要するに、自分で移動できることが重要なのである。

老眼には老眼鏡、耳が遠くなれば補聴器があるように、足が弱くなれば車椅子で補えばいい。つまり、**維持すべきは、運動機能ではなくて、アクティビティだ**ということだ。

実際、アメリカでは、自分で運転できなくなった時点で、リタイアメントハウスのような施設に入る。わたしの見る限り、都会の高齢者より地方の高齢者のほうが出かけることを億劫がらない。家の前の車に乗ればどこにでも行けるからだろう。だから、わたしは高齢者の免許返納には原則的に反対だ。地方には、事故を心配するほど人は歩いていない。

また、元気な高齢者というのは、みなおしゃべりだ。言いたいことがとめどなく出てくるからだろう。言いたいことがある人、それをずっと持ち続けられる人は、その意見への賛否は別として、素晴らしいと思う。そういう人は歳をとってもパワフルだ。

たとえば湯川秀樹も亡くなる直前まで、反戦運動をしていた。アインシュタインも晩年は反戦運動家だった。アクティブなのである。

逆に言えば、言いたいことがあるうちは元気でいられる。

### ④上がりのポストを目指さない。人生のゴールを下手に決めない

官僚には事務次官を目指すレース、会社員には役員を目指すレース、大学の先生なら教授、あるいは学長を目指すレース、政治家なら、大臣、総理、あるいは知事を目指すレースがあるわけだが、五〇歳というのは、そろそろそのレースの勝敗が見えてくるころでもある。そのレースの勝敗のために、これまで生きてきたとしたら、負けが決まった人も、勝ちが決まった人も、不幸な話だ。人生まだまだこれから長く続くというのに。

一方、いずれの人の場合も、心の持ちようでは幸運でもある。人生まだまだこの先、

長いからだ。**死ぬ間際に惨めな思いをしなくてもいい人生をいまから始めることができる。**

これまでいだいてきた目標は、けっして人生のゴールではなかったことに、いま気づくのであれば、まだ遅くはない。

### ⑤引退後も人が寄ってくる人生こそが豊か

では、これから先の人生はどのようなものであれば、幸福な人生だと言えるのだろうか？

それは、最初の章にも書いたように、人とともにある人生だと思う。

そのためには、面白い人と言われるようになることを目指すべきだ。

優秀な人、すごい人ではなくて、面白い人。

そのためにも、人と違った視点を持つ、それを相手を楽しませることができるよう、ふだんの会話を通じて練習する。

そして、**人を楽しませるために使うお金はケチらない**ことだ。
**老後というのは、むしろこれまで蓄えてきたお金を使う年代だと思っておくべきだ。**
いままだ五〇歳そこそこの人は、いまはそのためにこそ稼いでほしい。

## この章のまとめ

①人が考えないことを考える習慣を持つ。

②プロセスより結果。短期的な結果より長期的な結果に目を向ける。

③維持すべきは運動機能ではなく、アクティビティ。脳の活性化には、運動よりも勉強。

④上がりのポストを目指さない。人生のゴールを下手に決めない。

⑤引退後も人が寄ってくる人生こそが豊か。人を楽しませるために使うお金をケチらない。

# あとがき

本書に最後までおつき合いいただき本当に感謝している。

ただ、わたしのこれまでの勉強法の本の読者のなかには、少し不満な方がいるかもしれない。

受験勉強であれ、資格試験対策であれ、目標がはっきりしている（志望校やその資格試験の過去問を見れば、何を勉強すればいいかがほぼつかめるし、合格者の最低点や合格ラインもおおむねわかっている）ので、それに対応して具体的な勉強法や、どんなことをすればいいかもはっきりしているのだが、本書で話題にした五〇代からの勉強というのは、そのような明確なゴールがない。したがって、これまでのわたしの読者からすると、具体性に欠けるように思われるのは、もっともなことだ。

ただ、本書をお読みになればわかっていただけると信じているが、本当の意味での五〇代からの勉強というものには、ゴールがない。

というか、仮にあるゴールに到達したとしても（たとえば資格がとれたり、ある地位につけたり、話の面白い人として一目置かれるようになったり、あるいは念願の本が出版できるなど）、そこで満足していれば、結局のところ、なんのための勉強かわからなくなってしまう。

あるゴールに達すれば、それをステップにして、さらなる前進をする。たとえば資格試験に合格できれば、それをもとに何ができるかを若い人とは違う視点で考えることが大切なはずだ。若い人なら資格を持ってどこかに雇ってもらうというのが第一選択になるが、五〇代以降であれば、その資格で独立したときに、どのようにすれば集客が可能かなども勉強しないといけない。

仮に話の面白い人として一目置かれるようになったとしても、きちんと研鑽を積まなければ、同じ話ばかりをするうざいオヤジにすぐに転落してしまう。

それ以上に、最終的なゴールは死のその時や死の間際といえる。

そのときに、慕われるような人間になっていたり、自分の人生に悔いがないと思えるのなら、勉強は大成功といえるが、昔はよかったけど……で終わるようなら、元大学者であれ、元秀才であれ、元東大卒であったとしても、「過去に勉強ができた人」で終わってしまう。

本書を読んで、自慢話が多いように感じられたかもしれないが、実は、本書は、自分のために書いた自戒の書でもある。

わたしも、あと一〇年や二〇年は文筆業で食っていかないといけないし（ワインと映画のおかげで貯金はほとんどゼロで、家のローンだけが残っている）、映画だってもっと撮っていきたい。それ以上に、話がつまらない人間と思われたり、「和田さんも歳をとって、少し頭が悪くなったんじゃない」などと陰で言われたりするのを誰より恐れる気の小さい人間なのである。

まだまだ文化人としても、作家としても、映画監督としても二流（三流？）のわたしとしては（精神科医としては一流とうぬぼれているが、それは日本のレベルが低いからだから満足してはいけないと、アメリカに通い続けている）、これからどれだけ成長できるかが勝負だと思っている。

本書でも書いたように、絶対の真実はないというのがわたしの信念だが、本書には、少なくとも試す価値のあることを並べたつもりだ。全部ではなくとも一部を役に立てていただき、顔は見たことがなくても、いっしょに勉強を続ける仲間になっていただければ、著者として幸甚この上ない。

末筆になるが、このような奇書に近い本の編集の労をとってくださったディスカヴァー・トゥエンティワンの干場弓子元社長には、この場を借りて深謝したい。

和田秀樹

本書は二〇一六年に弊社より刊行された『五〇歳からの勉強法』を、再編集したものです。

人生100年時代BOOKS　001

# 五〇歳からの勉強法

発行日　2023年2月17日　第1刷

Author　和田秀樹
Illustrator　髙栁浩太郎
Photographer　三浦憲治
Book Designer　カバー：井上新八　本文フォーマット：chichols

Publication　株式会社ディスカヴァー・トゥエンティワン
〒102-0093　東京都千代田区平河町2-16-1 平河町森タワー 11F
TEL 03-3237-8321（代表）　03-3237-8345（営業）
FAX 03-3237-8323　https://d21.co.jp/

Publisher　谷口奈緒美
Editor　三谷祐一　伊東佑真

Marketing Solution Company
小田孝文　蛯原昇　谷本健　飯田智樹　早水真吾　古矢薫　堀部直人
山中麻吏　佐藤昌幸　青木翔平　磯部隆　井筒浩　小田木もも　工藤奈津子
佐藤淳基　庄司知世　副島杏南　滝口景太郎　竹内大貴　津野主揮　野村美空
野村美紀　廣内悠理　松ノ下直輝　南健一　八木眸　安永智洋　山田諭志
高原未来子　藤井かおり　藤井多穂子　井澤徳子　伊藤香　伊藤由美
小山怜那　葛目美枝子　鈴木洋子　畑野衣見　町田加奈子　宮崎陽子

Digital Publishing Company
大山聡子　川島理　藤田浩芳　大竹朝子　中島俊平　小関勝則　千葉正幸
原典宏　青木涼馬　榎本明日香　王廳　大﨑双葉　大田原恵美　佐藤サラ圭
志摩麻衣　杉田彰子　舘瑞恵　田山礼真　中西花　西川なつか　野﨑竜海
野中保奈美　橋本莉奈　林秀樹　星野悠果　牧野類　宮田有利子　三輪真也
村尾純司　元木優子　安永姫菜　足立由実　小石亜季　中澤泰宏　森遊机
石橋佐知子　蛯原華恵　千葉潤子

TECH Company　大星多聞　森谷真一　馮東平　宇賀神実　小野航平　林秀規　福田章平

Headquarters　塩川和真　井上竜之介　奥田千晶　久保裕子　田中亜紀　福永友紀　池田望
石光まゆ子　齋藤朋子　俵敬子　宮下祥子　丸山香織　阿知波淳平
近江花渚　仙田彩花

DTP　朝日メディアインターナショナル株式会社
（図版協力：アーティザンカンパニー株式会社）
Printing　中央精版印刷株式会社



ISBN978-4-7993-2927-6 